La Route
des Indes

MAIRIE DE BORDEAUX

Cet ouvrage a été édité
à l'occasion de l'exposition

La Route des Indes.
Les Indes et l'Europe : échanges
artistiques et héritage commun
1650-1850,

présentée simultanément
au musée d'Aquitaine
et au musée des Arts décoratifs,
à Bordeaux, du 11 décembre 1998
au 14 mars 1999

L'ordre de présentation des notices a été adopté en
fonction des caractéristiques apparentant les œuvres
entre elles. En fin de volume, un index typologique
regroupe les œuvres par catégorie.
Les dimensions des œuvres sont données en
centimètres.
Pour les tableaux, la hauteur précède la largeur ; pour
les objets d'art, la hauteur et la largeur sont suivies
de la profondeur.

Conception graphique :
Jean-Louis Germain

ISBN 2-85056-342-0 pour la version reliée
ISBN 2-85056-348-X pour la version brochée
Dépôt légal : quatrième trimestre 1998
Imprimé en Italie (CEE)

La Route des Indes

LES INDES ET L'EUROPE :

ÉCHANGES ARTISTIQUES ET

HÉRITAGE COMMUN

1650 - 1850

MUSÉE DES ARTS
DÉCORATIFS
MUSÉE
D'AQUITAINE
BORDEAUX

SOMOGY
ÉDITIONS
D'ART

COMITÉ D'HONNEUR

Alain Juppé, ancien Premier ministre,
député-maire de Bordeaux,

Kanwal Sibal, ambassadeur de l'Inde
en France,

Claude Blanchemaison, ambassadeur
de France en Inde,

Krishna Riboud, présidente
de l'Association pour l'étude
et la documentation des textiles d'Asie
(AEDTA), chargée de mission au musée
national des Arts asiatiques-Guimet, Paris

Françoise Cachin, directeur des musées
de France, présidente de la Réunion
des musées nationaux, Paris

Jean-François Jarrige, conservateur général
du Patrimoine, directeur du musée
national des Arts asiatiques-Guimet, Paris

COMITÉ D'ORGANISATION

Commissaire général de l'exposition :

Henry-Claude Cousseau, conservateur
général du Patrimoine, directeur
des musées de Bordeaux

Commissaire scientifique :

Thierry-Nicolas Tchakaloff, directeur
du musée des Arts décoratifs de l'océan
Indien, La Rivière Saint-Louis,
La Réunion

Commissaires-adjoints :

Jacqueline du Pasquier, conservateur
en chef du Patrimoine, chargée
du musée des Arts décoratifs, Bordeaux,

Hélène Lafont-Couturier, conservateur
du musée d'Aquitaine et du musée Goupil,
Bordeaux,

Amina Okada, conservateur au musée
national des Arts asiatiques-Guimet, Paris,

Marie-Hélène Guelton, conservateur-
adjoint à l'Association pour l'étude et la
documentation des textiles d'Asie
(AEDTA), Paris

Anne Ziéglé, conservateur, et
Agnès Garrigou, chargée de l'exposition,
musée d'Aquitaine, Bordeaux,

Micheline Viseux, documentaliste
honoraire à l'Union centrale des arts
décoratifs, Paris

REMERCIEMENTS

La Route des Indes.
Les Indes et l'Europe : échanges artistiques et héritage commun 1650-1850,
a bénéficié du soutien de la Direction régionale des affaires culturelles en Aquitaine, grâce à la bienveillance de Jean-Michel Lucas et de Michel Berthod, que nous remercions très sincèrement ainsi que Jean-Luc Tobie. Nos remerciements les plus vifs s'adressent aux responsables des collections publiques et privées, pour la qualité des prêts auxquels ils ont consenti et pour la pertinence de leurs conseils.

DANEMARK
Copenhague
NATIONALMUSEET
Kirsten Ramlov, conservateur, Etnografisk Samling,

FRANCE
Beautiran
Gilles Pezat, maire
Guy Crivelli

Bordeaux
Leila Imberti
Émile Pillot

Lyon
MUSÉE HISTORIQUE DES TISSUS
Guy Blazy, conservateur

Paris
ASSOCIATION POUR L'ÉTUDE ET LA DOCUMENTATION DES TEXTILES D'ASIE (AEDTA)
Krishna Riboud, présidente
Marie-Hélène Guelton, conservateur-adjoint

FONDATION CUSTODIA
Maria van Berge-Gerbaud, directeur

MUSÉE NATIONAL DES ARTS ASIATIQUES-GUIMET
Jean-François Jarrige, directeur

MUSÉE DE L'ARMÉE
Jacques Pérot, directeur
Jean-Pierre Reverseau, conservateur en chef
Jean-Paul Sage-Fresnay, conservateur

MUSÉE NATIONAL DES ARTS D'AFRIQUE ET D'OCÉANIE
Jean-Hubert Martin, directeur
Dominique Taffin, conservateur

MUSEUM NATIONAL D'HISTOIRE NATURELLE, BIBLIOTHÈQUE CENTRALE
Monique Ducreux, directeur

MUSÉE JACQUEMART-ANDRÉ
Nicolas Sainte-Fare Garnot, conservateur en chef

UNION CENTRALE DES ARTS DÉCORATIFS
Marie-Claude Beaud, conservateur général
Jean-Paul Leclercq, conservateur en chef
Évelyne Possémé, conservateur

GALERIE *AUX FILS DU TEMPS*
Marie-Noëlle Sudré

Nice
MUSÉE DES ARTS ASIATIQUES
Marie-Pierre Foissy-Aufrère, conservateur en chef

Port-Louis
MUSÉE DE LA COMPAGNIE DES INDES
Louis Mezin, conservateur

Saint-Denis de La Réunion
Jean Daubigny, préfet de La Réunion

Saint-Louis de La Réunion
Guy Ethève, maire
Claude Hoarau, député, président de la Maison française du meuble créole

GRANDE-BRETAGNE
Londres
BRITISH LIBRARY, ORIENTAL AND INDIA OFFICE COLLECTION
Beth Mc Killop

Oxford
Oliver Impey

PAYS-BAS
Amsterdam
RIJKSMUSEUM-STICHING
Pr Ronald de Leeuw, directeur
Peter Sigmond, conservateur en chef, département d'Histoire hollandaise
Reiner Baarsen, conservateur en chef, département des Arts décoratifs
Jan Rudolph de Lorn, conservateur des métaux précieux
Ebeltje Hartkamp-Jonxis, conservateur

La Haye
HAAG'S GEMEENTEMUSEUM
Pr Dr Titus M. Eiliëns, conservateur en chef, département des Arts décoratifs
Jet Pijzel-Domisse, conservateur, département des Arts décoratifs
Jan Veenendaal

Leyde
RIJKSMUSEUM VOOR VOLKENKUNDE
Dorus Kop Jansen, conservateur

Rotterdam
MUSEUM BOIJMANS VAN BEUNINGEN
Chris P. E. Dercon, directeur et
Ineke H. Tirion-Beijeriner, conservateur au département des Arts appliqués et du Design industriel

PORTUGAL
Lisbonne
MUSEU DE SAN ROQUE, SANTA CASA DA MISERICORDIA DE LISBOA
Nuno Vassalo e Silva, conservateur

MUSEU NACIONAL DO AZULEJO
Paulo Henriques, directeur
FUNDAÇÃO RICARDO DO ESPIRITO
SANTO SILVA
Maria Joao Espirito Santo Bustorff,
présidente
MUSEU NACIONAL DE ARTE ANTIGA
José Luis Porfirio, directeur
Leonor d'Orey, conservateur, département
Orfèvrerie
Teresa Pacheco-Schneider, conservateur,
département Textile
Maria Conceição Borges de Sousa,
responsable de la collection de Mobilier
et d'Art oriental

Porto
MUSEU NACIONAL DE SOARES DOS REIS
Monica Baldaque, directeur

SUÈDE
Skokloster
Karin Skeri, directrice
Frederik Blomqvist, assistant
Stockholm
NATIONAL MUSEUM
Barbro Hovstadius, conservateur,
département Objets d'art
Uppsala
UPPSALA UNIVERSITET
Thomas Heinemann, conservateur

SUISSE
Genève
prince et princesse Sadruddin Aga Khan

Ainsi que les collectionneurs qui ont
préféré garder l'anonymat.

Nous remercions chaleureusement les très
nombreuses personnes dont les conseils,
le soutien et l'aide amicale nous ont été
précieux :

AFRIQUE DU SUD
Wieke van Delen, conservateur au South
African Cultural History Museum, Le Cap
M. C. Wintein, Le Cap
Dr Helena Scheffler, historienne de l'art,
Vlaeberg
Piet E. Westra, directeur, South African
Library, Le Cap
M. P. M. Grobbelaar, directeur, William
Ferh Collection, The Castle, Le Cap
M. Roux, directeur, Koopmans de Wet
House, Le Cap
C. Wintein, conservateur, Koopmans de
Wet House, Le Cap
Marius Leroux, directeur, Stellenbosch
Museum, Stellenbosch, Le Cap

DANEMARK
Dr Kjelde von Folsach, directeur
et Helle Lassen, assistante, Davids
Samling, Copenhague
Vibeke Woldbye, conservateur au
Kunstindustrimuseet, Copenhague
Vibeke Andersson, conservateur au
Nationalmuseet, Copenhague
Mejer Antonsen, conservateur au
Nationalmuseet, Copenhague
Dr Thorkild Kjaergaard, conservateur,
Det Nationalhistoriske Museumpå
Frederiksborg, Hillerod
Tove Thage, conservateur, Det
Nationalhistoriske Museumpå
Frederiksborg, Hillerod

ÉTATS-UNIS
Marilyn Hunt, Assistant Registar, Yale
Center for British Art, New Haven
Barbara Plante, Springfield Museums,
Springfield
Jennie Rathbun, Houghton Library,
Harward University, Cambridge
Maggi Lidz, Landenberg

FINLANDE
Jouni Kuurne, conservateur, Musée
national de Finlande, Helsinski
Oppi Untracht

FRANCE
Aix-en-Provence
Marie-Thérèse Ziéglé
Bilère
Gérard de Francmesnil
Bordeaux
Jean-Paul Avisseau, conservateur en chef,
archives municipales
Nathalie Fabre, sous-archiviste, archives
municipales
Régine Saux, sous-archiviste, archives
municipales
Pierre Botineau, conservateur en chef,
bibliothèque municipale
Hélène de Bellaigue, conservateur
des fonds patrimoniaux, bibliothèque
municipale
Anne Guérin, conservateur à la Direction
des musées de Bordeaux
Danièle Neirinck, conservateur général
du Patrimoine, directeur des archives
départementales
Michèle Périssère, conservateur, musée
national des Douanes
Nelly Coudier, bibliothécaire, musée
national des Douanes
Sylvie Saint-Vignes, documentaliste,
Centre de documentation du port
autonome de Bordeaux
Lyon
Monique Jay, bibliothécaire, musée
historique des Tissus
Catherine Calba, responsable de
la banque d'images, musée historique
des Tissus
Marseille
Anne-Marie Nida
Mulhouse
Jacqueline Jacqué, conservateur, musée
de l'Impression sur étoffes

Paris
Irène Alghion, conservateur à la
Bibliothèque nationale de France, cabinet
des Médailles
Françoise Cousin, conservateur au musée
de l'Homme,
Marine Biras
Monique Lévi-Strauss
Franck Claustrat
Marie-Hélène Guelton, conservateur-
adjoint, AEDTA
Roselyne de Villanova
Mireille Lobligeois
Anne-Marie Loth
Francis Macouin, conservateur en chef
de la bibliothèque du musée national
des Arts asiatiques-Guimet
Francis Doré, président de la Chambre de
commerce et d'industrie franco-indienne
Rahul Chaabra, premier secrétaire de
l'ambassade de l'Inde, *Presse, Information
et Culture*
Nilou Ray

La Réunion
Alain Duval, directeur régional
des Affaires culturelles
Jean-Paul Le Maguet, conservateur en chef,
musée Léon-Dierx, Saint-Denis
Benoît Jullien, directeur des archives
départementales de La Réunion
Enis Rockel
Marie-Hélène Kiang-Fat, Annie-Claude
Bois, Emmanuelle Grondin, Sully Payet,
Frédéric Lallemand, Jean Bernard Grace,
M. Maximin Adras, Maison française
du meuble créole

GRANDE-BRETAGNE
Londres
Deborah Swallow, conservateur en chef
au département Inde et Asie du Sud-Est,
Victoria and Albert Museum
Susan Strong, Rosemary Crill, Anthony
North, conservateurs, Amin Jaffer,
chercheur, attaché au Victoria and Albert
Museum
Mark Zebrowski

Simon Ray, directeur au Département
islamique, Spink & Son
Dr Ronie Llewellyn-Jones

INDE
Florence L'Hernault, École française
d'Extrême-Orient, Pondichéry

IRLANDE
Elaine Wright, conservateur, Chester
Beatty Library, Dublin

NORVÈGE
Linda Meier, conservateur, Nordenfjeldske
Kunstindustrimuseum, Trondheim
Ann Christine Eek, photographe,
Universitet i Oslo, Institutt og
Museumfor Antropologi, Etnografisk
Museum, Oslo
Dorothea Hysing, chargée de mission,
Universitet i Oslo, Institutt og
Museumfor Antropologi, Etnografisk
museum, Oslo

PAYS-BAS
Marie Odette Scalliet
I. Tirion-Beijerinck, Museum Boymans-
van Beuningen, Rotterdam
Isle Boks, Volkenkundig Museum
Nusantara, Delft
Jan van Rosmalen, Koninklijk Instituut
voor Taal-Land en Volkenkunde, Leyde
Paul Baars, Het Nijenhuis, Heino
Wouter Ritsema van Eck, Amsterdam
Ebeltje Hartkamp-Jonxis, conservateur au
Rijskmuseum, Amsterdam

PORTUGAL
Lisbonne
Maria Antonia Pinto de Matos, directeur,
Instituto portugues de museus, palais de
Ajuda
Jaão Castel-Branco Pereira, directeur de la
Fondation Calouste-Gulbenkian
Fernanda Passos Leite, conservateur,
département textile, Fondation Calouste-
Gulbenkian

José Lico
Maria Helena Mendes Pinto

SUÈDE
Håkan Wahlquist, conservateur,
département Collections asiatiques,
Folkens Museum etnografiska, Stockholm
Kristina Söderpalm, premier conservateur,
Göteborgs Stadsmuseum, Göteborg
Brita Karlssoin, conservateur, Röhsska
museet, Göteborg
Lars Ljungström, conservateur, Kungl.
Husgerådskammaren (collections royales),
Stockholm
Per Falck, conservateur, Nordiska museet,
Stockholm
Dr Jan Wrigin, directeur, Östasiastiskaz
museet, Stockholm

Les personnes chargées du secrétariat et
les équipes techniques du musée
d'Aquitaine et du musée des Arts
décoratifs ont assuré dans ces deux lieux
la mise en place de l'exposition.

Qu'elles soient sincèrement remerciées
pour leur compétence et le soin qu'elles
ont apporté à cette tâche complexe.

S'il fallait justifier l'Histoire par la légende on pourrait, pour évoquer l'histoire des relations maritimes de Bordeaux avec les Indes orientales, se souvenir de l'extraordinaire précédent que constitue l'épopée d'Austin de Bordeaux, Augustin Hiriart, voyageur au long cours, orfèvre, aventurier et probablement faussaire qui réussit, aux Indes, ce qu'il avait manqué ailleurs en devenant, étonnant destin, un familier couvert d'or et d'honneurs de l'empereur Jâhangîr.

Il faudra en réalité attendre près de deux siècles pour que la magnificence de l'Orient tente l'armement bordelais pour de plus concrètes et moins romanesques expéditions.

À la fin du XVIIIᵉ siècle Bordeaux, grand port maintenu quelque peu à l'écart des Compagnies des Indes orientales, saura saisir les nouvelles perspectives commerciales ouvertes par les comptoirs français et européens sur les côtes de l'Inde, rendues accessibles par les commodités des îles Mascareignes situées à mi-parcours. À tel point que les Baour, Balguerie, Cabarrus, Corbun, Gradis, Journu, Romberg et Bapst et autres Nairac armeront, voici deux siècles, près d'un tiers des navires français destinés au commerce oriental.

Cette facette de l'histoire portuaire de Bordeaux, cité qui fut, on le sait, particulièrement présente sur l'océan Atlantique, était jusqu'alors peu explorée.

Ceci appelait naturellement deux musées de notre ville, le musée des Arts décoratifs et le musée d'Aquitaine, à s'intéresser à ce thème et à le restituer dans une passionnante étude qui nous rend perceptibles les influences artistiques et stylistiques que les nations de la façade atlantique — le Portugal, la Grande-Bretagne, la Hollande, le Danemark, la Suède et bien entendu la France — ont pu à la fois recevoir et exercer, en établissant des comptoirs aux Indes.

À l'occasion de ce projet, la collaboration de ces deux institutions bordelaises est exemplaire. Elle va bien évidemment dans le sens que nous avons souhaité pour revivifier l'ensemble unique que forment nos musées.

Il faut remercier pour leur initiative et leur travail tous les responsables de cette exposition exceptionnelle qui permet à la Ville de Bordeaux de rayonner sur le plan international, au travers des nombreux concours obtenus dans les musées de l'Europe entière. Grâce à eux, les Bordelais peuvent enfin emprunter à leur tour la route des Indes et en découvrir tous les enchantements.

Alain Juppé,
ancien Premier ministre,
député-maire de Bordeaux

[cat. 83] Inde du Nord, cabinet
miniature (détail),
milieu du XVIIᵉ siècle.
Copenhague, Nationalmuseet.

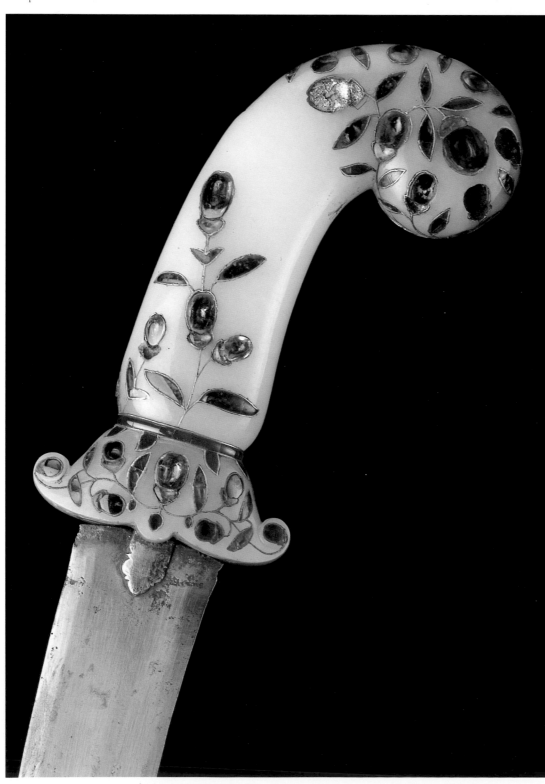

[cat. 13] Inde du Nord,
poignard moghol (détail),
seconde moitié du XVIIe siècle.
Paris, musée national des Arts
asiatiques-Guimet.

Longtemps l'Occident s'est cherché dans des chimères, des fantasmes et des rêves. Mythique à force d'être désiré, celui de la « route des Indes », par voie de mer, n'est pas des moindres : il a occupé l'imaginaire de l'homme depuis les fameuses conquêtes d'Alexandre jusqu'à la fin du Moyen Âge et c'est en pleine Renaissance que Vasco de Gama abordera finalement, en 1498, à Calicut ! Tout ce qui touche à l'Inde est encore empreint de ce songe puissant.

Ce songe, à sa façon *La Route des Indes* le poursuit aujourd'hui sous la forme d'une exposition. Son objet immédiat : l'étude des relations artistiques — après qu'elles aient été surtout d'intérêt commercial — entre l'Inde et l'Europe des pays atlantiques, depuis l'implantation des Portugais à Goa, il y a exactement cinq siècles, jusqu'à la constitution du Raj britannique. Mais il va sans dire que, dotée d'un titre aussi évocateur, son ambition est aussi de déborder largement son sujet. Ce dernier en effet touche à la nature de l'ancestral dialogue que poursuivent l'Occident et le sous-continent indien. C'est dans ce dernier, extraordinairement situé à mi-chemin vers l'Extrême-Orient, péninsule immense à l'écart, à l'abri, du reste du monde, que se sont développés, maintenus, perpétués, comme nulle part ailleurs, des traditions, des savoirs, des particularités, des différences qui donnent à ce dialogue une portée dont cette manifestation tente de restituer une part de l'originalité et de la richesse.

Dans les nombreux comptoirs, dans les ports, dans les villes, les cours et les palais, les Compagnies, les commerçants, les amateurs aussi sans doute, les princes évidemment, ont inévitablement suscité auprès des artisans, par influences réciproques, par métissage des savoir-faire, par transposition des techniques ou de l'iconographie — notamment après la révélation, à la fin du XVIᵉ siècle, de la peinture occidentale à la cour du Grand Moghol — des objets originaux qui constituent, à nos yeux, un corpus complexe mais unique dans son genre. Au Portugal, en Angleterre, en Hollande, au Danemark, en Suède, ce patrimoine, présent en nombre dans les collections publiques et privées, fait l'objet d'études soutenues. C'est curieusement moins le cas en France où ce domaine est encore, à quelques exceptions près, peu exploré, notamment dans les musées. La raison en réside-t-elle dans la singularité de la relation en quelque sorte manquée, avortée, entre l'Inde et la France du fait de la suprématie que l'Angleterre finit par imposer ? On est tenté de le croire. Depuis le fameux orfèvre Austin de Bordeaux qui eut les faveurs de l'empereur Jahângîr, jusqu'aux nombreux voyageurs et mercenaires de divers rangs qui ont sillonné l'Inde depuis le début du XVIIᵉ siècle, la présence française en Inde n'est cependant pas chose rare ; qui plus est, elle apparaît souvent, même si la motivation de départ est la plupart du temps liée au souci de faire fortune, comme empreinte d'un véritable attachement, d'une sincérité, qui poussent certains à s'établir définitivement, comme Claude Martin, à Lucknow.

En France, cette exposition est donc, à notre connaissance, la première tentative d'une synthèse sur ces questions. Bordeaux, porte naturelle sur les deux Amériques et l'Afrique, se devait, plus que d'autres ports français, d'être le lieu de cette réévaluation. Ce n'est qu'au début du XIXᵉ siècle que des relations commerciales régulières s'établirent avec l'Inde (Bombay puis Calcutta). Mais au milieu du XVIIIᵉ siècle les contacts ne manquaient pas et l'on sait par exemple que de nombreuses familles bordelaises s'étaient établies à Pondichéry ; en outre les Mascareignes (l'île Bourbon et l'île de France, aujourd'hui La Réunion et Maurice), cette étape inévitable vers les Indes, étaient reliées

directement au port de Bordeaux. Et même si les débouchés vers l'Asie sont finalement les derniers en date, Bordeaux manifeste par là, comme tout au long de son histoire, une ouverture exceptionnelle sur tous les continents. Notre sujet y trouve encore une légitimité supplémentaire.

Cependant la seule volonté, la seule imagination, ne peuvent suffire à rendre possible de tels événements. Ceux-ci supposent bien d'autres conditions et surtout des complicités plus profondes. Ces circonstances, je les dois principalement à Krishna Riboud, dont on connaît le rôle éminent dans notre pays en faveur de l'enrichissement et de la connaissance du patrimoine asiatique ainsi que la contribution scientifique qu'elle apporte, notamment par l'intermédiaire de l'Association pour l'étude et la documentation des textiles d'Asie qu'elle préside. C'est au travers de conversations, de voyages et surtout de contacts avec des objets souvent exceptionnels que l'importance d'une telle manifestation en France est apparue. Cette exposition lui doit l'essentiel ; non seulement à cause de la générosité des prêts qu'elle a consentis mais aussi parce qu'elle en a soutenu l'initiative dès le début et que son aide et son appui ont été déterminants. Ensuite c'est la découverte, au cours d'une mission professionnelle, du travail pionnier, courageux, exemplaire, accompli presque en solitaire, pour ainsi dire *in situ* — l'île de la Réunion —, par Thierry-Nicolas Tchakaloff en faveur d'un patrimoine qu'il a littéralement remis au jour en vue de la création d'un futur musée, unique en son genre, à Saint-Louis. Ses connaissances, la qualité de son entreprise le désignaient comme le commissaire scientifique du projet ; il lui revenait de réaliser le tout premier essai du genre en France.

À Bordeaux, deux musées se trouvaient concernés par ce projet : le musée d'Aquitaine et le musée des Arts décoratifs. Il en résulte

aujourd'hui une collaboration scientifique exemplaire qui répond heureusement au souhait de tous de voir s'établir entre institutions un dialogue fécond et dynamique. Je dois dire ma gratitude à Jacqueline du Pasquier et Hélène Lafont-Couturier — à la suite de Chantal Orgogozo — d'avoir accueilli avec un grand intérêt ma proposition et de s'être investies avec un tel enthousiasme dans une manifestation qui fut particulièrement complexe à mener à bien et dont on mesurera la difficulté, du fait de sa nouveauté et des très nombreuses collaborations internationales à obtenir. Elles ont accompli leur mission respective avec une volonté sans faille et une grande perspicacité. À leurs côtés je ne peux omettre de saluer le travail accompli par Anne Ziéglé et Agnès Garrigou dans le suivi au quotidien du projet. Sans elles ce dernier eût été impossible à réaliser. Enfin toute entreprise de ce genre suppose des encouragements des plus hautes autorités : que Jean-François Jarrige, directeur du musée national des Arts asiatiques-Guimet, trouve ici l'expression de notre gratitude pour la confiance qu'il nous a témoignée à cette occasion, et Amina Okada, conservateur au même musée, la reconnaissance de toute l'équipe bordelaise, pour sa disponibilité et son aide efficace et amicale.

La route que cette exposition ouvre aujourd'hui, il faut la souhaiter non seulement riche de perspectives dans le domaine scientifique, pour une meilleure connaissance de nos patrimoines communs, mais encore l'interpréter comme un désir toujours renouvelé d'augmenter, d'élargir notre capacité de regard. Et pour ma part, au moment où les musées de la ville de Bordeaux présentent précisément un ensemble de manifestations où l'Inde occupe une place privilégiée, cette route est plus que jamais aussi une invitation pour tous à les suivre.

Henry-Claude Cousseau,
directeur des musées de Bordeaux

Une exposition sur le thème des échanges artistiques entre les Indes et l'Europe de 1650 à 1850 est d'une telle nouveauté qu'il apparaît opportun d'en expliquer préalablement les données et les enjeux. À ces dates, il ne faut bien sûr accorder qu'une valeur de repère. Encore convient-il de commenter le choix de ces repères, qui n'ont de sens que dans l'histoire générale de la culture européenne.

Le titre déjà pourrait surprendre. Existe-t-il une idée de l'Europe au XVIe siècle d'une part, et que recouvre ce pluriel appliqué aux Indes d'autre part ?

Plusieurs arguments d'ordre culturel, politique ou technique tendent à montrer qu'une nouvelle unité de civilisation (l'Europe) est en train de s'affirmer aux XVe et XVIe siècles, comme l'attestent la multitude des échanges et ce, dans des domaines extrêmement divers. Ces échanges traduisent un mouvement de culture et de curiosité que l'on peut considérer comme révélateur d'une unité européenne.

Nombre d'historiens s'accordent à dire que la *Reconquista* espagnole — achevée au XVe siècle — a mis en lumière une idée politique de l'Europe, fondée sur la Chrétienté. À l'aube du XVIe siècle, l'héritage gréco-romain, en dépit de l'émergence des civilisations nationales, n'en continue pas moins d'affirmer son existence, son principe d'unité profonde, consolidé par le christianisme.

Les relations des premiers voyageurs témoignent d'un choc culturel intense. Il n'est pas abusif de parler de découverte éblouie des Occidentaux face au luxe et aux richesses aperçues dans les cours des seigneurs indiens, princes hindous ou sultans. Mais on ne peut parler pour autant de découverte subite. Après les croisades, les contacts avec l'Est via la Méditerranée et les puissantes cités italiennes ont permis l'introduction d'objets précieux ou de tissus de grande valeur. Les échanges comme les voisinages ont toujours existé. Les grandes découvertes portugaises ont eu pour conséquence l'ouverture d'une nouvelle voie d'échanges ; elles ont surtout permis l'introduction en plus grand nombre de ces produits tant convoités.

Rien n'eût été possible sans la poussée des villes capitalistes d'Occident. Elles ont été le moteur, sans quoi la technique eût été impossible. Ce qui ne signifie pas que c'est l'argent, le capital, qui a fait la navigation hauturière. Au contraire : Chine et terres d'islam sont, à l'époque, des sociétés nanties, avec des colonies nombreuses. À côté d'elles, l'Occident fait figure de parent pauvre.

Mais l'important, c'est à partir du XIIIe siècle cette tension de longue durée qui soulève la vie matérielle et transforme tout la psychologie du monde occidental. Ce besoin d'or, cette recherche d'épices s'accompagnent, dans le domaine technique, d'une quête constante de nouveautés et d'applications utilitaires, c'est-à-dire au service des hommes. L'accumulation de toutes ces découvertes pratiques (poudre à canon, boussole, gouvernail, etc.) témoigne assez d'une volonté de maîtriser le monde. La circumnavigation autour de l'Afrique puis l'accostement en Inde vont permettre l'élargissement du monde sur un plan économique et culturel et conduire les Européens à prendre conscience de leur originalité.

Thierry-Nicolas Tchakaloff
directeur du musée des Arts décoratifs
de l'océan Indien

[cat. 63] Côte de Coromandel, palampore (détail), première moitié du XVIIIe siècle. Saint-Louis, musée des Arts décoratifs de l'océan Indien.

BORDEAUX, PORT DE LA FAÇADE ATLANTIQUE ET SES RELATIONS COMMERCIALES AVEC LES INDES ORIENTALES

Avec les nouvelles routes maritimes ouvertes par les Portugais au XVIe siècle depuis l'océan Atlantique à destination de l'océan Indien, Bordeaux, en tant que port de redistribution de la façade atlantique, pouvait s'inscrire dans cette nouvelle aire d'échanges économiques.

Son accès demeurait cependant difficile à de nombreux égards. Les bancs de sable instables rendaient la navigation périlleuse, de même que la lente remontée de l'estuaire, voie de pénétration dans les terres, tributaire de la marée montante et sujette aux risques d'éventuelles attaques. De plus, le port n'avait pas encore de quais aménagés facilitant le chargement et le déchargement des marchandises.

L'activité portuaire était malgré tout prépondérante, au point d'exercer un attrait sur tout le quart sud-ouest du royaume et même au-delà. La population bordelaise s'était enrichie d'une immigration protestante de provenance régionale et européenne, illustrée par nombre de riches familles huguenotes, entre autres britanniques et hollandaises. D'autres communautés étrangères étaient déjà présentes dans le port par tradition commerciale : les Allemands, qui seront privilégiés par le traité de Marine et de Commerce entre la France et les villes de Hambourg, Lübeck et Brême en 1665, les juifs séfarades et les Bretons, qui assuraient l'exportation des denrées grâce à leur armement bien plus important que celui des Bordelais. L'arrière-pays bordelais était donc constitué d'un réseau relationnel de familles installées dans des villes et des régions des diverses nations européennes.

La Guyenne approvisionnait surtout les marchands hollandais venus acheter principalement les vins produits à Bordeaux et dans sa région — Agenais, Condom, Montauban et Languedoc — pour les rapporter dans leur pays d'origine ou les redistribuer, notamment en Grande-Bretagne. La flotte hollandaise, qui bénéficiait d'un armement d'une grande souplesse et d'un entrepôt très actif, riche de denrées extrêmement diverses, demeurait un des pivots de l'activité bordelaise. Cependant, les étrangers pouvaient aussi charger le vin dans d'autres ports de la façade atlantique, La Rochelle et Nantes particulièrement.

C'est à la production du vin, dont ils prenaient en charge la vente et la consignation, que les marchands bordelais devaient leur fortune. Ils laissaient aux acheteurs le souci du transport, essentiellement par mer, ou le confiaient à des intermédiaires, au capitaine par exemple. Le vin, troisième article d'exportation du royaume, permettait des rentrées d'argent considérables. La France occupera d'ailleurs, dès la seconde moitié du XVIIe siècle, le troisième rang dans le commerce maritime mondial.

Le commerce du vin était aux mains des bourgeois de Bordeaux, dont le titre de « bourgeois » constituait un privilège héréditaire, comportant certaines immunités précisées par une ordonnance royale de 1617 : « Les privilèges de Bordeaux consistent principalement, par rapport à ses habitants, à l'exemption de toutes tailles et crûes [augmentations] d'icelles, dans la facilité de pouvoir, quoique roturier, acquérir et posséder des fiefs et terres nobles, sans être assujettis à aucune finance, et dans divers autres droits qui concernent l'entrée, la vente et le débit des vins bourgeois[1]. » Certains de ces bourgeois, négociants de leur état, siégeaient à la jurade de Bordeaux, magistrature municipale, et géraient « les deniers d'octroi, le port et havre de Bordeaux, le lest, lestage et délestage des navires

Charles-Nicolas Cochin le fils, *Vue de la ville et du port de Bordeaux prise du côté des salinières* (détail), 1764. Eau-forte, 47,5 x 73. Bordeaux, musée d'Aquitaine.

1. Charles-Nicolas Cochin le fils,
Vue de la ville et du port de Bordeaux
prise du château Trompette, 1764.
Eau-forte, 54,2 x 75.
Bordeaux, musée d'Aquitaine.

et bâtiments, les vins, les grains, les farines, l'examen et vérification des comptes[2] ». Ces jurats détenaient dans leurs privilèges la propriété de vignobles et défendaient leurs avantages accordés par Édouard, duc de Guyenne, en 1360. Grâce à leurs privilèges, les bourgeois retiraient tant d'argent de la vente des vins, protégés de la concurrence par une police, qu'ils n'avaient aucune raison de se mêler de négoce lointain.

Les relations commerciales entretenues par Bordeaux se développaient donc dans un espace maritime atlantique et s'étendaient jusqu'à la mer du Nord. Bordeaux s'approvisionnait de fait en denrées exotiques par le biais des marchands étrangers, hollandais notamment, qui bénéficiaient depuis le début du XVIIe siècle des avantages dus au commerce avec l'océan Indien. À l'occasion de leur venue à Bordeaux, les marchands hollandais déchargeaient des draperies mais aussi des épices (fig. 1 et 2), soumises, depuis un arrêté du 10 septembre 1549, à un droit des drogueries et épiceries appelé « quatre pour cent », semblant faire une loi générale pour les denrées exotiques dans le royaume. Étaient entre autres répertoriés sous cette dénomination le bois d'ébène, le bois d'Inde, le bois de rose, la garance, la graine jaune, l'ivoire, l'indigo, la laque. Certains de ces produits pouvaient provenir des Indes orientales, avec lesquelles Bordeaux n'entretenait pas alors de relations directes.

L'expérience du Bordelais Augustin Hiriart, dit Austin de Bordeaux, en direction de l'espace maritime indien, demeure de ce fait une aventure extraordinaire et relativement éloignée des préoccupations commerciales de ses contemporains bordelais. En 1609, il quitta le royaume d'Angleterre pour se lancer dans la grande aventure d'un voyage au long cours jusqu'aux Indes. C'est l'année où Henri IV pensait fonder une compagnie aux Indes orientales pour inscrire la France dans le courant mercantiliste que connaissaient les autres puissances européennes.

2. Charles-Nicolas Cochin le fils,
*Vue de la ville et du port de Bordeaux
prise du côté des salinières*, 1764.
Eau-forte, 47,5 x 73.
Bordeaux, musée d'Aquitaine.

François Bernier, voyageur français du XVIIe siècle, nous laisse entendre que la raison de son départ pour une destination aussi lointaine n'était pas seulement l'attrait de l'Orient : « Augustin, après avoir trompé plusieurs princes d'Europe par ces doublets qu'il savait faire à merveille, se réfugia dans cette cour où il fit fortune. » C'est en servant dans la cour du Grand Moghol qu'il sut développer ses propres intérêts en mettant à profit ses talents de faussaire et son art de la joaillerie. Dans sa lettre du 27 avril 1625, envoyée de Lahore au baron du Tour, Augustin dépeint le trône qu'il destine au « roi » Jahângîr : « J'ai donné le dessein de faire pour le roi un *Throno Real* où il s'assît une fois l'année 9 jours [...] supporté par quatre lions pesant 150 quintals d'argent, couvert de feuilles d'or émaillé ; à la couverte, qui est faite en dôme, j'ai couvert de 4 mille de mes pierres artificielles, mais la bonne pierrerie qui se rapporte, elle est de valeur inestimable ; car des perles le roi en a grande quantité, mais de diamants grands et de grands rubis il est certain qu'il en a plus lui seul que n'ont tous les princes de l'univers[3]. »

La magnificence de l'Orient ne pouvait laisser insensibles les pays occidentaux et notamment la France qui voulut se doter des moyens d'en faire profit. Colbert prit le 10 septembre 1664 des mesures visant à mettre à exécution son objectif, celui d'ouvrir le commerce du royaume vers l'extérieur en exploitant le plus possible les potentialités du pays pour l'exportation. Il s'agissait de la mise en place d'un monopole correspondant aux intérêts des manufactures du royaume et à ceux des grandes compagnies. Ainsi seraient réduites les importations des produits manquant en France.

Colbert voulut donner à la compagnie française une structure équivalente à celle de la compagnie hollandaise, la Verenigde Oost-Indische Compagnie (VOC), fusion d'une dizaine de sociétés locales d'armement, créée en 1602, et qu'il jalousait. Les Britanniques avaient fondé eux aussi leur propre compagnie en 1600, l'East India Company, pour ouvrir des comptoirs en Inde après s'être concilié le Grand Moghol. Avec la Compagnie des Indes nouvellement créée, les Français pouvaient à leur tour affirmer leur présence au-delà de l'île Bourbon et sur les côtes indiennes : Surate, Pondichéry et Chandernagor.

Plusieurs projets de compagnies avaient déjà été proposés sous Henri IV en 1604 pour les Indes orientales et le Levant, sous Richelieu en 1626 pour le commerce général par terre et par mer du Ponant et du Levant et les voyages au long cours. Aucun ne vit le jour. Ce n'est que sous Louis XIV, avec Colbert, que ces projets purent aboutir.

La Compagnie française des Indes orientales était enfin créée le 1er septembre 1664 et Bordeaux aurait d'ailleurs pu en être le siège, comme un correspondant de Colbert le lui avait suggéré, révélant par là même l'importance de la ville pour le commerce du royaume. La compagnie jouissait du « privilège exclusif du commerce dans toutes les mers des Indes & au-delà de la ligne, des îles Bambou & de France, & de toutes les colonies & comptoirs établis & à établir dans les différens États d'Asie & de la côte orientale d'Afrique, depuis le cap de Bonne-Espérance jusqu'à la mer Rouge [...] pour cinquante années[4] ». Ses privilèges furent confirmés et augmentés par la déclaration de février 1685 puis prorogés pour dix autres années à partir du 1er avril 1715. Par contrecoup, il était interdit à tout navire français de commercer directement ou indirectement dans l'océan Indien sous peine de confiscation des vaisseaux et marchandises au profit de la Compagnie des Indes orientales.

Colbert adressa aux jurats de Bordeaux une lettre leur annonçant la création d'un Conseil du commerce et l'octroi d'une prime de cinq livres pour tout navire marchand de cent à cent vingt tonneaux construit dans le port comme dans tous ceux du royaume, afin de stimuler le commerce lointain (fig. 3). La représentation des marchands auprès du roi se ferait avec celle de leurs confrères issus des ports de La Rochelle et de Bayonne, tous deux ports de la façade atlantique. Les dispositions royales posaient un problème aux Bordelais qui ne souhaitaient pas entrer en concurrence, par compagnies interposées, avec les Hollandais dont ils tiraient leurs principaux revenus et qui ne désiraient pas mettre en péril leurs capitaux acquis par un commerce sûr. Effectivement, Colbert sollicitait des Bordelais une aide financière et ne leur demandait pas d'entreprendre des voyages au long cours ou d'armer réellement, contrairement à ce qu'il exigeait des autres grands ports du royaume. On peut considérer que Bordeaux constituait pour le ministre une réserve de capitaux essentielle pour mener à bien ses projets. De plus, les Bordelais étaient atteints par ces nouvelles dispositions qui remettaient en cause les privilèges intrinsèques du droit de bourgeoisie et limitaient le « nombre de ceux qui pouvaient entrer dans les charges publiques de la ville par suite du règlement qui rendait la souscription à la Compagnie obligatoire », provoquant la diminution du nombre des bourgeois[5].

Comme le fit observer Duboscq, clerc de ville depuis 1654, « si quelques-uns des plus importants bourgeois y sont entrés [dans la Compagnie], ça n'a été que par complaisance à la volonté du roi, pour ne pas dire la contrainte, ce qui est absolument contraire au commerce qui doit toujours être libre[6]. » Cette remarque résume bien les dispositions des bourgeois de Bordeaux au regard de ces compagnies. On retrouvera ce thème de la liberté de commerce cher aux Bordelais jusqu'à la fin du XVIIIe siècle, ceci annonçant le siècle des Lumières et ses idéaux de liberté. Colbert, qui connaissait les débouchés très favorables des vins et eaux-de-vie de Bordeaux dans la Baltique et qui avait de grands projets pour la ville,

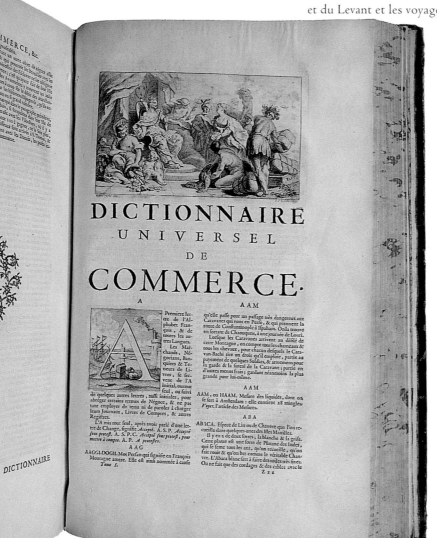

3. Jacques Savary des Bruslons,
Dictionnaire universel de commerce,
1741. 40 x 27 x 7,5.
Bordeaux, musée national
des Douanes.

encouragea la création d'une Compagnie du Nord en 1669, la seule à laquelle les Bordelais à cette époque semblaient s'intéresser. Cependant, cette compagnie fut dirigée par les Rochelais malgré les promesses de Colbert, ce qui suscita la jalousie des Bordelais qui ne bénéficièrent d'une succursale qu'en 1671 et redoutaient l'installation du siège de la compagnie à La Rochelle. Ils réagirent en créant leur propre compagnie, la « Compagnie privilégiée de Bordeaux » à cette même date, défendant ainsi leurs propres intérêts sans limiter géographiquement leurs relations commerciales.

Cette compagnie fut pourtant dissoute à leur demande en 1674, à la suite de la perte des seuls quatre navires qu'ils avaient pu faire construire et armer pour cet usage et des querelles entre les divers membres de la compagnie...

La volonté royale de contrôler le commerce, en particulier pour Bordeaux celui du vin et des eaux-de-vie, s'affirma par la mise en place d'une réglementation douanière : le tarif du 18 septembre 1664 visait à uniformiser les droits douaniers pour l'ensemble du royaume dans le but de supprimer les droits locaux et particuliers. Les provinces qui se soumirent à ce tarif furent appelées les « cinq grosses fermes », tandis que la Guyenne et la Bretagne, qui refusaient, devinrent des provinces réputées étrangères. De ce fait, en 1667, Colbert imposa un tarif commun à l'ensemble des provinces qui, s'ajoutant aux droits locaux conservés dans les provinces réputées étrangères, pénalisait ces dernières. Ce tarif s'appliquait à certaines denrées particulièrement rentables pour le commerce, notamment les drogueries et épiceries qui pouvaient provenir des Indes orientales. Ce nouveau tarif national, qui mettait en péril les bonnes relations commerciales entretenues par la France avec la Grande-Bretagne et la Hollande, amena ces deux pays à contracter une triple alliance avec la Suède en 1668 ; ceci porta atteinte au commerce bordelais, particulièrement concerné par ses relations privilégiées avec les marchands de ces nations-là.

Un droit particulier à Bordeaux, le « droit de comptablie », mis en place en 1552, fut adapté à ces nouvelles circonstances en 1688 pour favoriser par des privilèges le commerce avec les étrangers. Le rôle de redistribution du port fut confirmé par un arrêt de son conseil du 4 juillet 1682, stipulant que les marchandises destinées à être exportées seraient exemptes des droits d'entrée et d'issue. Par ailleurs, ce droit de comptablie était supprimé pendant la quinzaine de jours que duraient les foires de Bordeaux de mars et d'octobre, qui attiraient de nombreux navires étrangers. L'immunité s'appliquait aux vins, eaux-de-vie, prunes, miels et bois lorsqu'ils étaient déchargés dans le « faubourg des Chartrons ». Le 2 septembre 1688, le droit fut appliqué à toutes les marchandises qui arrivaient à Bordeaux, par mer ou par terre (fig. 4); elles comprenaient notamment l'ivoire et, au rang des « drogueries », les bois d'ébène et de rose, l'indigo et la laque. Les Bordelais pouvaient donc disposer des denrées exotiques apportées par les navires étrangers, notamment des Indes, puisqu'elles « fournissent quantité de bois pour la médecine, pour la teinture, pour la damasquinerie, & pour les parfums. Les principaux sont [...] le bois de rose [...] dont une partie se débite dans les Indes & dans le reste de l'Asie ; & le surplus passe en Europe[7]. »

Les relations traditionnelles du port de Bordeaux trouvaient là leur pleine expression dans un droit purement local, bénéficiant des importants privilèges que les villes hanséatiques avaient obtenus grâce au nouveau traité de Marine et de Commerce de 1716. En 1685, année de la révocation de l'édit de Nantes, les exportations connurent une baisse notable à Bordeaux, où la communauté protestante, très

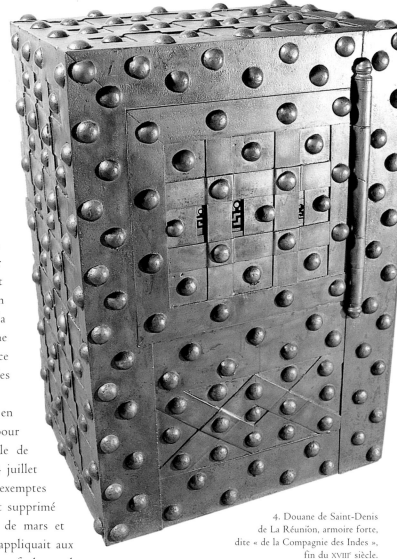

4. Douane de Saint-Denis de La Réunion, armoire forte, dite « de la Compagnie des Indes », fin du XVIIIᵉ siècle. Bordeaux, musée national des Douanes.

importante, était indissociable de la prospérité commerciale du port. Nantes profita de cette situation pour développer son armement et exporter davantage et devint en 1723 le siège de la Nouvelle Compagnie des Indes créée par Law en 1719, qui était chargée du commerce des Indes occidentales (Amériques) et orientales (Grandes Indes). L'année suivante, le commerce du Sénégal et de la côte de Guinée lui fut intégré.

Bordeaux a bénéficié à l'aube du XVIIIe siècle de mesures royales favorisant son commerce : la création en 1705 de la Chambre de commerce (fig. 5), qui concernait toute la province de Guyenne (dont les présidents successifs étaient des marchands négociants), et l'octroi d'avantages fiscaux dû à son statut de « port franc », incitaient la venue des navires de la côte atlantique.

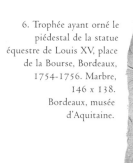

5. Thomas Bernard, médaille frappée pour la fondation de la Chambre de commerce de Bordeaux, 1708. Or, 4,1 (diam.). Bordeaux, musée d'Aquitaine.

Dans les années 1730 à 1740, la ville profitait de cette ouverture pour développer une puissante flotte coloniale à destination des Amériques et investir ses capitaux dans l'armement des navires en partance de La Rochelle. La concurrence des vins portugais amena les négociants bordelais à se tourner vers de nouveaux débouchés hors d'Europe, leur permettant d'obtenir des produits de luxe facilement commercialisables. Néanmoins, pour ne pas nuire aux manufactures du royaume, certains d'entre eux faisaient l'objet d'une prohibition, notamment les toiles (toiles peintes depuis 1686, toiles unies ou blanches et mousselines, par des arrêts successifs).

C'est par ses relations directes avec les autres ports de la façade atlantique que Bordeaux reçut des marchandises en provenance des Indes orientales. L'Orient (Lorient) était le port officiel de la Compagnie des Indes depuis 1688, le lieu de vente privilégié depuis 1734 et l'entrepôt officiel des marchandises d'Orient. Les entrepôts qui avaient été révoqués par un arrêt de 1688 subsistaient cependant pour le commerce de l'Inde, de Guinée et des îles d'Amérique, permettant alors aux négociants de stocker pendant un an les marchandises de ces contrées ou à destination de celles-ci. Bordeaux, qui développait alors un commerce très important avec les Amériques, se plaçait comme le port de réexportation des denrées coloniales qui en provenaient.

6. Trophée ayant orné le piédestal de la statue équestre de Louis XV, place de la Bourse, Bordeaux, 1754-1756. Marbre, 146 x 138. Bordeaux, musée d'Aquitaine.

Alors que la Compagnie des Indes avait procuré au royaume des bénéfices considérables jusqu'en 1743 (fig. 6) — tant pour le commerce de l'Inde que pour celui de la Chine —, son capital s'effondra à nouveau et ce, malgré ces bénéfices et les dons immenses du roi. L'entretien des bâtiments de la compagnie, situés à Lorient et celui des comptoirs des côtes indiennes, contribuait à grever son budget. Aussi le privilège de la compagnie fut-il suspendu en 1769, ouvrant ainsi le commerce de l'océan Indien aux entreprises individuelles. Les négociants bordelais trouvaient donc là l'occasion de nouvelles perspectives de commerce. Mais ce n'est qu'après les ports de Lorient, Saint-Malo, Nantes et La Rochelle qu'ils financèrent les expéditions de leurs propres navires vers les Indes. Sur les cinq armements qu'ils firent entre 1769 et la fin de la guerre d'Amérique (1783), deux seulement aboutirent.

Ce commerce au long cours nécessitait l'équipement de navires de gros tonnage (six cents tonneaux et plus) et des capitaux considérables. Ces derniers étaient de provenances diverses — familiale pour certains, étrangère pour d'autres, notamment suisses, grâce au réseau international protestant. Ce fut le cas de l'armateur protestant Laffon de Ladebat qui arma en 1776 le *Sartine* grâce à un prêt de six cent mille livres tournois de deux banques suisses de Paris. Un tel prêt constituait une prise de risque importante pour le créditeur qui n'était jamais assuré du succès de l'entreprise et dont le remboursement, dans le meilleur des cas, était très tardif. Ces risques étaient nombreux et de natures diverses : avaries, difficultés nées des contraintes de navigation liées à un si long trajet (deux ans et plus pour l'aller et le retour), de surcroît tributaire des vents saisonniers de l'océan Indien. Les bateaux devaient quitter le port de Bordeaux entre les mois de

7-8. Paul Alexandre Brizard, journal de navigation, 1789. Bordeaux, musée d'Aquitaine.

mars et d'octobre pour bénéficier de la mousson de sud-ouest en été, qui souffle d'avril à octobre de la mer vers la terre : c'est elle qui portait les navires vers le littoral indien ou chinois.

L'arrivée sur la côte de Coromandel présentait elle aussi des difficultés liées aux nombreux bancs de sable, qui exigeaient le gabarage des bateaux. L'accès des différents comptoirs (fig. 7) français en Inde était parfois fort délicat : à Pondichéry, la rade était peu sûre et n'offrait aucun abri aux navires en cas de mauvais temps[8]. Une fois les déchargements et chargements effectués, les navires reprenaient la route en sens inverse, poussés cette fois par la mousson continentale du nord, du mois de décembre au mois d'avril. Cette traversée des océans présentait les risques d'attaques de pirates ou de navires étrangers qui convoitaient leurs cargaisons. Les polices d'assurance souscrites obligatoirement par les intéressés devaient prendre en compte tous les risques encourus.

Le commerce des Indes orientales présentait des spécificités par rapport à celui des Amériques. Il exigeait la présence dans les comptoirs d'agents capables de négocier avec les Indiens afin de collecter et d'entreposer les marchandises et de garantir la sécurité des navires. Or c'est le commerce avec les Amériques qui procurait aux Bordelais les piastres tant recherchées par les Indiens, qui, avec le vin et les eaux-de-vie, leur permettaient d'obtenir des mousselines et toiles diverses, des bois de teinture, des plantes médicinales, du thé et du salpêtre entre autres choses.

Sur cette route à destination des Indes, les Mascareignes constituaient pour les Français une étape obligée dans l'océan Indien. L'île de France (Maurice) ne fut concernée qu'à partir de 1721 (fig. 8), alors que l'île Bourbon était déjà au XVIIe siècle l'entrepôt des marchandises venues d'Orient et pouvait constituer au XVIIIe siècle pour les Bordelais l'aboutissement de leur expédition — ils déchargeaient leurs

9. Paul Alexandre Brizard,
journal de navigation, 1789.
Bordeaux, musée d'Aquitaine.

vins et quelques marchandises pour l'approvisionnement des colons sur place. Le vin et les eaux-de-vie étaient fréquemment réexpédiés ensuite vers les Indes anglaises car les colons britanniques les appréciaient très vivement et en demandaient de grandes quantités. Ce commerce faisait partie de ce que l'on appelait le « commerce d'Inde en Inde », qui profitait, à la fin du XVIIIᵉ siècle, d'un privilège exclusif où le commerce était libre de droit.

Tous les navires revenant d'un si long voyage étaient contraints, par l'arrêt du 13 août 1769 permettant la liberté de commerce aux particuliers, de débarquer les marchandises au port de Lorient. L'arrêt du roi, du 6 septembre de la même année, note à l'article 5 que « les marchandises provenant du commerce de l'Inde jouissent de six mois d'entrepôt dans le port de l'Orient ».

Tout en participant activement au commerce des Indes orientales, les négociants bordelais ne purent que réagir aux mesures encore trop coercitives de l'arrêt de 1769 et revendiquèrent à nouveau la notion de liberté de commerce à laquelle ils étaient si fortement attachés et que le philosophe bordelais Charles de Montesquieu avait déjà exprimée dans une maxime : « Le commerce parcourt la terre, fuit d'où il est opprimé, se repose où on le laisse respirer[9]. » Laffon de Ladebat adressa d'ailleurs le 18 août 1772 une lettre au ministre de la Marine, monseigneur de Boynes, dans laquelle il exprime sa désapprobation concernant l'obligation d'entreposer les marchandises d'Orient dans le port du même nom, sachant que les denrées risquaient de se perdre en y séjournant trop longtemps ou durant le trajet qui ramenait le navire à son port d'attache. D'autre part, des frais considérables s'additionnaient de ce fait (frais de rade, dépenses pour la nourriture de l'équipage et prolongation de ses gages, augmentation de la prime d'assurance, commissions à payer à Lorient, etc.).

Le Bordelais Paul Nairac, qui avait dirigé avec un Marseillais et un Nantais une expédition pour la Chine, née à l'instigation du gouvernement en 1785, pouvait se permettre, en raison de sa connaissance du commerce avec les Indes et la Chine, de s'insurger contre les privilèges renouvelés en faveur de Lorient dans un brillant discours tenu devant l'Assemblée nationale en 1789 et qu'il assortit d'un « projet de décret pour l'Inde ». Lui aussi, comme Montesquieu, révèle combien les Bordelais étaient épris de la liberté de leur commerce. « Que l'on n'oublie jamais que, sans liberté et protection, le commerce ne peut subsister. Il fuit tous les lieux où on l'opprime[10]. »

Malgré tout, les expéditions bordelaises pour l'océan Indien s'étaient succédé entre 1781 et 1784 au point que Bordeaux arma trente-six navires, ce qui représentait vingt-huit pour cent de l'ensemble des bâtiments français à destination de cet espace maritime. Les plus grandes maisons de commerce investirent dans ce commerce au long cours (Balguerie Junior, Journu Frères, Baour et Cie entre autres). Journu Frères arma notamment en octobre 1788 le navire le *Patriote* (fig. 9) dont le journal de bord illustre bien la « route des Indes » empruntée par les Bordelais.

Après avoir fait une escale à l'île de France puis aux Seychelles, l'équipage appareilla pour la côte de Coromandel et mouilla à Pondichéry le 30 mai 1789. De là, il se rendit dans le Gange pour repartir vers l'île de France et l'île Bourbon. Après avoir franchi le cap de Bonne-Espérance, le navire se destina à un commerce complètement différent. Il naviguait désormais dans les eaux atlantiques et ne rentra « en rivière de Bordeaux » que le 17 février 1791.

Les marchandises des Indes orientales rapportées de ces expéditions se retrouvaient pour certaines dans le décor des intérieurs bordelais, comme l'hôtel Pierlot ou de Basquiat, sis 29, cours d'Albret. La salle à manger était ornée d'un rideau d'indienne et, dans l'antichambre, trouvaient place deux éventails en ivoire travaillé.

Les Bordelais (fig. 10) ayant eux aussi un réel engouement pour les denrées orientales, préférèrent cependant s'en doter par le biais de marchands étrangers plutôt que de pratiquer un commerce lointain aventureux.

Agnès Garrigou et Anne Ziéglé

10. Mascaron figurant un Indien enturbanné, XVIIIe siècle. Calcaire. Bordeaux, 7, place de la Victoire.

NOTES

1. Desgraves, 1993, p. 23.

2. *Ibid.*, p. 25.

3. Basteau, 1984, p. 114.

4. Édit du roi, portant confirmation des privilèges et concessions de la Compagnie des Indes, juin 1725 (article 2).

5. Lane, 1924, p. 187.

6. Procès-verbal de l'assemblée des jurats de Bordeaux, 17 mars 1674 (archives municipales, registre de la jurade).

7. J. Savary des Bruslons, *Dictionnaire universel de commerce [...]*, 1741, I, p. 423.

8. Leroux, 1992, p. 50.

9. C. de Montesquieu, *L'Esprit des lois*, 1748, XXI, V.

10. *Discours prononcé à l'Assemblée nationale par M. Paul Nairac, député de Bordeaux, sur le commerce de l'Inde*, Paris (s. d.).

LES JÉSUITES À LA COUR DU GRAND MOGHOL : MODÈLES EUROPÉENS ET INFLUENCES ARTISTIQUES XVIᴱ-XVIIᴱ SIÈCLE

On fait traditionnellement remonter l'influence de l'art européen sur les arts de cour moghols — et, plus particulièrement, sur la production picturale des XVIᵉ et XVIIᵉ siècles — à l'arrivée de la première mission jésuite à Fatehpur Sikri, alors capitale impériale, le 28 février 1580 (fig. 1). On sait en effet qu'en 1579 l'empereur Akbar dépêchait à Goa[1] un envoyé spécial, Abdullâh Khân, porteur d'une missive réclamant la venue à Fatehpur Sikri de missionnaires jésuites invités à exposer au monarque la nature du christianisme et à débattre de questions religieuses dans la maison de l'Adoration (*Ibadât Khâna*). Quelques mois plus tard, la première mission jésuite, conduite par les pères Acquaviva, Monserrate et Henriques, arrivait dans la capitale, chaleureusement accueillie par l'empereur qui jugea bon, pour la circonstance, de recevoir ses hôtes vêtu d'un costume portugais. Au nombre des présents offerts au souverain par les jésuites figuraient sept des huit volumes de la Bible polyglotte imprimée à Anvers entre 1568 et 1572 par Christophe Plantin, à la demande de Philippe II d'Espagne. L'ouvrage, dont les pages de titre étaient gravées par différents artistes flamands — Pieter Van der Heyden, Pieter Huys, Gérard Van Kampen, les frères Wierix —, était utilisé à des fins de prosélytisme évidentes par les missionnaires, désireux de convertir le monarque à leur foi (fig. 2). Akbar, s'il n'embrassa jamais la religion chrétienne, accorda néanmoins au précieux ouvrage un intérêt des plus vifs, comme en témoigne, dans une lettre, l'un des membres de l'ambassade : « Les pères jésuites prirent avec eux pour les lui offrir les volumes de la Bible royale, en quatre langues, somptueusement reliés et agrafés d'or. Le roi reçut ces livres saints avec la plus grande révérence, prenant dans ses mains chaque volume l'un après l'autre et le baisant, puis le posant sur sa tête ce qui, chez ces gens, signifie honneur et respect [...] Les pères lui firent aussi présent de deux superbes portraits, l'un représentant le Sauveur du monde et l'autre la glorieuse Vierge Marie. Ce dernier était une copie de celui qui se trouve dans l'église de Notre-Dame-la-Majeure, à Rome[2]. »

Mais les volumes de la Bible polyglotte et les portraits du Christ et de la Madone reçus en grande cérémonie par l'empereur ne constituaient nullement les premiers exemples d'art occidental vus par le monarque. En 1573 déjà, lors du siège de Surate, Akbar, recevant une délégation portugaise conduite par le père Antonio Cabral, avait eu l'occasion d'admirer quelques témoignages de l'art et de l'artisanat européens. Abû'l Fazl, ministre de l'empereur et chroniqueur du règne, se faisant l'écho complaisant de l'enthousiasme du monarque face aux choses de l'Occident, relate l'entrevue dans l'*Akbar-nâma* : « Ils [les Portugais] exhibèrent un grand nombre d'objets rares de leur pays et le khédive [Akbar], admiratif, reçut chacun d'entre eux avec bienveillance et s'informa des merveilles du Portugal et des us et coutumes de l'Europe. Il semble qu'il agissait ainsi mû par un désir de connaissance, car son cœur vénérable est le réceptacle des sciences spirituelles et physiques[3]. » Ailleurs, le disert Abû'l Fazl souligne derechef l'intérêt d'Akbar pour « les curiosités et les raretés produites par les talentueux artisans de ce pays [le Portugal][4] ». Intérêt qui devait aboutir, assez naturellement, à l'envoi en 1575 d'une ambassade moghole à Goa, conduite par Haji Habîbullâh et chargée d'apporter à la cour de Fatehpur Sikri quelques témoignages matériels de la virtuosité tant renommée des artisans européens : « Il [Haji Habîbullâh] fut chargé d'emporter à Goa une importante somme d'argent ainsi que des articles de qualité provenant de l'Inde [moghole] et de rapporter, pour la délectation de Sa Majesté, les choses merveilleuses produites en ces contrées. D'habiles artisans l'accompagnaient qui, à l'adresse et au talent, joignaient l'application afin que, de même qu'on rapportait les merveilleuses productions de Goa et de l'Europe, on importât également de nouvelles techniques[5]. »

L'ambassade demeura près de deux ans à Goa et regagna l'Inde en décembre 1577. C'est en un bien curieux équipage que Haji Habîbullâh, sa mission accomplie, se présenta devant l'empereur qui avait alors établi son camp quelque part entre Fatehpur Sikri et Delhi. « Escorté d'un grand nombre de personnes vêtues comme des chrétiens et jouant de tambours et de clairons européens[6] », l'envoyé du Moghol exhiba devant son souverain quelques-uns des plus beaux articles recueillis à Goa, cependant que les artisans indiens partis s'instruire auprès de leurs homologues lusitaniens s'employaient fièrement à faire la preuve de leur nouveau savoir-faire et des techniques récemment acquises.

Akbar, on le voit, ne pouvait manquer, le 3 mars 1580, de réserver le meilleur accueil aux présents des pères jésuites. Par deux fois, si l'on en croit le témoignage des missionnaires, l'empereur embrassa les volumes de la Bible polyglotte avant de les poser sur sa tête et de donner l'ordre de les porter dans ses appartements privés afin qu'ils y fussent serrés dans un coffret conçu à cet effet. Quant aux tableaux figurant le « Sauveur du monde » et la « glorieuse Vierge Marie », ils suscitèrent de même l'enthousiasme du monarque qui incita ses fils et quelques dignitaires de son entourage à les embrasser également avec le plus grand respect. Un mois environ après la réception de la première mission jésuite à la cour moghole, le souverain convoquait les peintres de l'atelier impérial et se rendait avec eux dans la chapelle que les missionnaires avaient installée et dans laquelle se trouvaient deux retables figurant la Vierge à l'Enfant — l'un, copié à Goa par le frère Manuel Godinho, d'après la *Vierge à l'Enfant* de la chapelle Borghese de l'église Santa Maria Maggiore, à Rome, l'autre, rapporté de Rome par le père Martin da Silva. Aux dires du père Henriques relatant dans une lettre la visite de l'empereur, « les peintres furent tous émerveillés et déclarèrent qu'il ne pouvait exister de meilleures peintures ni de meilleurs artistes que ceux qui avaient peint ces tableaux[7]. » Une semaine plus tard, Akbar, accompagné cette fois de ses trois fils, d'Abû'l Fazl et d'une poignée de dignitaires, rendait une nouvelle visite aux jésuites dans la petite chapelle faiblement éclairée où rayonnaient les deux retables. Devant l'intérêt appuyé manifesté par le souverain, les jésuites lui firent don du retable rapporté de Rome par le père Martin da Silva. Enveloppant soigneusement le tableau, l'empereur l'emporta dans son palais, où il fut exposé en certaines occasions.

À l'évidence réellement séduit par ces témoignages de l'art chrétien occidental, Akbar eut tôt fait de donner l'ordre à ses peintres d'exécuter des copies des deux retables ainsi que de nombreuses gravures à sujet religieux et édifiant à l'aide desquelles les pères jésuites étayaient leurs activités missionnaires à la cour moghole. Ces dernières œuvres — comme du reste l'ensemble du matériel didactique constitué d'illustrations et d'ouvrages à caractère religieux destinés aux missions d'outre-mer — étaient acheminées vers l'Inde, via Goa, depuis Anvers qui, jusque vers 1585, fut le principal port d'embarquement pour l'Orient. Parmi les gravures européennes trouvées en Inde ou copiées par des

1. École moghole, *Missionaire jésuite*, vers 1590. Encre sur papier, 12,7 x 6,8. En bas à droite : *Manôhar*. Paris, musée national des Arts asiatiques-Guimet (dépôt du musée du Louvre).

2. Bible polyglotte,
1568-1572. I, 39,3 x 28,1.
Cambridge, Harvard
University, Houghton
Library.

3. École moghole, figure
allégorique d'après le
frontispice de la Bible
polyglotte, vers 1590.
Encre sur papier,
19,8 x 11,8. En bas, à
droite : *Basâwan*.
Paris, musée national des
Arts asiatiques-Guimet
(dépôt du musée
du Louvre).

artistes locaux, figurent des œuvres allemandes d'Albrecht Dürer, des frères Beham ou de Georg Pencz
et, en plus grand nombre encore, des œuvres de graveurs anversois actifs à la fin du XVIᵉ siècle (Jan,
Raphaël et Aegidius Sadeler, Jérôme Wierix, Cornelis Cort [fig. 3]). Outre ces gravures isolées, des livres
furent également envoyés en Inde, notamment le *Thesaurus Sacrarum Historiarum Veteris Testamenti* (1585) et
l'*Evangelicae Historiae Imagines* (1593), tous deux imprimés à Anvers[8]. Et, de même qu'il invitait les peintres
de l'atelier impérial à reproduire, afin d'en étudier le style et la technique, peintures et gravures
européennes, l'empereur souhaita également que fussent exécutées à son intention de précieuses
répliques de crucifix en or et en ivoire, ainsi qu'un reliquaire en or. Si aucun de ces crucifix ou reliquaires
« moghols » n'est aujourd'hui connu, une profusion de miniatures, inspirées peu ou prou par l'Occident,
témoignent en revanche de l'engouement des peintres de cour pour une imagerie insolite, voire
déconcertante au regard des thèmes iconographiques hérités de la tradition persane, dont se réclamaient
encore les peintres akbariens (fig. 4). Négligeant le contenu religieux des gravures dont ils s'inspiraient,
les artistes impériaux s'attachèrent à maîtriser les nouveaux enseignements techniques que leur révélaient
ces œuvres occidentales et, au contact de ces modèles qu'ils jugeaient, certes, « exotiques », s'initièrent

aux effets de modelé, de volume et de perspective. La découverte des gravures européennes eut une importance décisive sur l'élaboration de l'art akbarien, éclectique, nourri d'influences diverses et de réminiscences persanes et qui, assimilant en partie les leçons de l'Occident, évolua progressivement vers plus de réalisme. Nombreux furent les peintres de l'atelier impérial qui s'adonnèrent à la copie ou à l'adaptation des gravures européennes circulant à la cour, donnant ainsi naissance à des œuvres hybrides et singulières. Un goût prononcé pour l'amalgame caractérise, de fait, les productions akbariennes inspirées de l'Occident, cependant que, dans le même temps, des œuvres purement mogholes se virent curieusement enrichies de références fugitives et parfois anecdotiques empruntées au répertoire graphique occidental (fig. 5). Et nombre de miniatures mogholes, illustrant des thèmes divers dépourvus de tout rapport avec d'éventuels et lointains modèles étrangers, verront ainsi leur arrière-plan s'orner de paysages inattendus, traités en réduction dans un souci de perspective manifeste et parfois maladroit — villes et campagnes parsemées d'architectures et d'édifices évoquant davantage les Flandres que l'Inde.

En 1602 parvenait à Agra, alors capitale de l'empire moghol, la copie d'un tableau figurant la Vierge, conservé en l'église Santa Maria del Popolo, à Rome. Plus de vingt ans s'étaient écoulés depuis l'arrivée à Fatehpur Sikri de la première mission jésuite[9], chargée de peintures et de gravures européennes ; pour autant, Akbar, dont le règne fécond touchait à son terme, ne paraissait nullement rassasié d'art occidental, si l'on en juge par l'extrême intérêt qu'il porta à ladite peinture, insistant même pour la garder quelques jours dans son palais afin que ses peintres pussent en prendre copie. L'œuvre, qui fut également installée dans la chapelle que les jésuites avaient installée à Agra, fit du reste sensation à la cour, où des foules mêlées et considérables défilèrent plusieurs jours durant afin de l'admirer[10].

4. Sind (?), *L'Annonciation*, début du XVIIe siècle. Cabinet miniature, peint et doré. Londres, Victoria and Albert Museum.

En 1605 le prince Salîm succédait à son père Akbar, prenant, lors de son avènement à l'empire, le nom de Jahângîr. Esthète et mécène plus encore que l'empereur défunt, il nourrissait une passion sincère autant qu'ostentatoire pour la peinture et se targuait de pouvoir reconnaître, au premier regard, l'auteur d'une miniature. Le nouvel empereur avait également du goût pour les œuvres venues d'Europe ; le père Jérôme Xavier, qui dirigea la troisième mission jésuite à la cour moghole (1595-1614), rapporte qu'aucun présent ne faisait davantage plaisir au monarque qu'une gravure ou une peinture européenne et que le souverain questionnait inlassablement les missionnaires sur la signification des scènes figurées sur les gravures dont il avait entrepris avec enthousiasme la collection. De la même façon, et alors qu'il n'était encore qu'un jeune prince avide de rivaliser avec son père tant sur le terrain politique que dans le domaine artistique, Salîm envoyait ses peintres auprès des jésuites afin qu'ils s'enquièrent des couleurs prescrites pour dépeindre les étranges costumes des personnages non moins singuliers qu'il leur incombait,

5. École moghole, *L'Ange de Tobie*, vers 1590. Gouache sur papier, 18,8 x 13,2. En bas, à droite : *Hosein*. Paris, musée national des Arts asiatiques-Guimet (dépôt du musée du Louvre).

désormais, de reproduire. Le père Jérôme Xavier relate encore qu'un jour où le prince avait jugé des plus médiocres la copie faite par l'un de ses peintres d'un beau portrait de la Vierge apporté par les missionnaires, il s'empressa d'en confier l'exécution à un artiste portugais qui accompagnait la troisième mission jésuite[11].

« Salîm est si avide de tout ce qui vient du Portugal [...] qu'il provoque notre stupéfaction », notait du reste le père Jérôme Xavier dans une lettre écrite en décembre 1597[12]. De fait, outre les gravures européennes et leurs copies curieusement polychromes, le prince — et, bientôt, le futur empereur — commanditait à ses artistes des crucifix et des statuettes en ivoire ou en argent repoussé à l'effigie de l'Enfant Jésus. Il lui arrivait aussi de porter, accrochée à une chaîne en or, une émeraude grosse comme le pouce gravée d'un christ sur la Croix, ainsi qu'un médaillon en forme de reliquaire enchâssant les portraits peints sur émail de Jésus et de la Vierge. L'empereur possédait en outre un sceau en or affectant la forme de pinces dont les extrémités s'ornaient d'émeraudes gravées à l'effigie du Christ et de la Vierge[13] ; aux dires des missionnaires, le monarque se servait en certaines occasions de ce sceau, comme il le faisait du sceau royal. De surcroît, il lui arrivait de tracer une croix en marge de ses missives et d'exiger aussi de ses peintres qu'ils ajoutent la figure d'un christ en Croix ou de la Madone sur les pages de livres relatant la vie de Jésus rédigés par le père Jérôme Xavier et traduits en persan pour l'édification du souverain[14].

Si de nombreuses copies ou adaptations mogholes de gravures européennes sont parvenues jusqu'à nous, il n'en est pas de même des peintures murales également inspirées de sujets et de motifs occidentaux qui, si l'on en croit le témoignage des missionnaires jésuites ou des rares voyageurs européens admis à la cour moghole, ornaient abondamment les murs des palais impériaux — notamment à Agra — et dont subsistent à peine aujourd'hui quelques traces difficilement lisibles. La *Relaçam* du père Ferñao Guerreiro, précieuse compilation des lettres des missionnaires jésuites de son temps et, notamment, de celles du père Jérôme Xavier, est à cet égard particulièrement édifiante et jette une lumière des plus vives sur l'éclectisme esthétique de l'empereur Jahângîr : « Il parlait avec beaucoup d'audace en faveur de l'utilisation des images, bien que celles-ci fussent fort impopulaires parmi les Maures. C'est ainsi que, venant de Lahore, il trouva ses palais d'Agra décorés et ornés de peintures variées, les unes déjà exécutées, les autres en train de l'être, à l'intérieur comme à l'extérieur d'une *varanda* où il prend place chaque jour, afin que son peuple le voie. La plupart de ces peintures illustraient des thèmes sacrés ; ainsi, sur le plafond, et en son milieu, était peinte la figure de Christ notre Seigneur, exécutée avec le plus grand art, entourée d'un halo et d'un cercle d'anges, et sur les murs étaient figurés des saints en miniature, tels saint Jean Baptiste, saint Antoine, saint Bernard et d'autres, ainsi que quelques saintes. À un autre endroit se trouvaient des Portugais, peints en grandes dimensions, et fort bien faits. » Et le père Guerreiro d'ajouter complaisamment : « Car, en vérité, la *varanda* semble être davantage celle d'un roi pieux et catholique que celle d'un Maure. À l'intérieur des palais, les peintures qui ornent les murs des salles et les plafonds illustrent le mystère de Christ notre Seigneur et des scènes des actes des apôtres, tirées de l'histoire de leur vie, que les pères ont données à l'empereur, ainsi que saintes Anne et Suzanne et divers autres sujets. Tout ceci est décidé par le roi en personne, sans que nul ne le conseille à ce sujet. Il choisit, parmi les peintures qu'il possède, les figures qui doivent être peintes, enjoignant à ses peintres de s'informer auprès des pères des couleurs qu'ils doivent utiliser pour les vêtements de chaque personnage et exigeant qu'ils ne s'écartent pas d'un iota de ce qui leur est dit. Tout ceci est source d'aversion pour les Maures ; ceux-ci sont si hostiles aux images qu'ils ne tolèrent pas même que soient représentés ceux de leur religion qu'ils considèrent comme des saints, pour ne rien dire des chrétiens qu'ils haïssent[15]. »

Le fait est que tout ce qui venait d'Occident, ou presque, et était marqué au sceau du goût européen était de nature à séduire l'empereur Jahângîr. La *Relaçam* nous apprend encore que le monarque émit un jour le désir qu'une peinture représentant le Christ à la colonne servît de « modèle à une étoffe entièrement tissée de soie, à la manière d'une tapisserie ». Le souverain était du reste sensible à la qualité des textiles fabriqués en Europe, comme le montre un passage de ses *Mémoires*, en date de l'année 1608 :

6. École moghole,
Baigneuses, vers 1740.
Gouache sur papier,
13,8 x 18,7.
Paris, musée national des
Arts asiatiques-Guimet.

7. Isaac Oliver, *Portrait de gentilhomme*, début du XVIIᵉ siècle. Gouache collée sur une page d'album moghol. Londres, Victoria and Albert Museum.

« Mukarrib Khân m'envoya du port de Khambhâit [Cambay] une pièce de tapisserie européenne, qui était si joliment exécutée que de tous les objets produits par les Faringis, je n'avais encore rien vu de comparable[16]. »

Car les œuvres à caractère religieux ou édifiant, instruments privilégiés du prosélytisme missionnaire, n'étaient pas, loin s'en faut, les seuls objets de provenance ou de facture occidentale à être expédiés en Inde et à parvenir, par des voies diverses, à la cour des empereurs moghols. Des œuvres à caractère profane y parvinrent également, introduites cette fois par les marchands européens venus dans le sous-continent pour se livrer au commerce. Ces gravures, dont les sujets profanes et parfois même licencieux offusquaient les jésuites, servaient de la même façon les travaux des peintres moghols et enrichissaient, de surcroît, leur répertoire thématique et iconographique. Dans les premières décennies du XVIIᵉ siècle, l'envoi de ces œuvres émanant de provenances diverses ne cessa de croître, afin de répondre aux besoins d'une consommation de plus en plus grande. Francisco Pelsaert, agent de la Compagnie hollandaise des Indes orientales, écrivait en 1626 à l'un de ses correspondants : « Envoyez-nous deux ou trois bons tableaux de bataille, peints par un artiste au style attrayant, car les musulmans veulent voir toutes choses de près — envoyez également quelques œuvres décoratives représentant des incidents comiques ou des figures nues[17]. » (fig. 6.)

De la même façon, Sir Thomas Roe, ambassadeur de 1615 à 1619 du roi Jacques Iᵉʳ d'Angleterre auprès du Grand Moghol, n'avait de cesse qu'il n'insistât auprès de l'East India Company afin que lui fussent régulièrement envoyées des peintures de qualité, dont il pût sans rougir faire don à l'empereur Jahângîr, de plus en plus exigeant en la matière. Le ton d'une des missives que l'ambassadeur adressa à l'Honorable Compagnie est à cet égard des plus éloquents : « Toutes vos peintures ne valent pas un sou ! [...] Ici, l'on n'apprécie que ce qui se fait de mieux : belles étoffes et peintures riches et délicates, venant par voie de terre d'Italie et d'Ormus ; car le fait est qu'ils rient des choses que nous leur apportons ![18] » L'insistance de Sir Roe finit par porter ses fruits, puisque l'ambassadeur relate dans ses *Mémoires* l'enthousiasme que suscita l'arrivée à la cour moghole d'un délicat portrait de femme par le miniaturiste anglais Isaac Oliver (vers 1565-1617) et d'un tableautin représentant Diane chasseresse. Maintes miniatures moghols figurant l'empereur Jahângîr et sa cour témoignent de cette prédilection impériale pour la belle peinture comme pour les objets décoratifs raffinés et précieux ; ainsi sur une page célèbre évoquant la rencontre imaginaire de Jahângîr et de Shâh Abbas Iᵉʳ de Perse, une table de facture italienne supporte quelques précieux objets d'origines et de styles mêlés : aiguière italienne, coupe de porcelaine chinoise, verrerie vénitienne, etc., cependant que Khân Âlam, ambassadeur moghol auprès du schah de Perse, présent aux côtés des deux monarques, tient une statuette dorée figurant Diane sur un cerf, dont le style évoque les productions d'Augsbourg de la fin du XVIᵉ siècle[19].

Quant aux portraits miniatures peints par Oliver (fig. 7) et introduits à la cour moghole par Sir Roe, ils furent peut-être à l'origine d'une mode relativement éphémère qui s'épanouit dans la dernière décennie du règne de Jahângîr, de 1615 à 1627 : le *shast* ou portrait miniature de format ovale serti dans une monture de métal précieux et monté en bijou pendentif ou, mieux encore, en ornement de turban. Le port du *shast* — généralement à l'effigie de l'empereur et que ce dernier offrait, comme marque d'insigne faveur, aux grands dignitaires de l'État ou à ses favoris qui arboraient dès lors avec ostentation le précieux bijou — fut officiellement aboli en 1628, lors de l'accession au trône de Shâh Jahân. Les *shast*, toutefois, furent encore portés quelque temps, à titre privé sinon officiel ; Sir Roe mentionne dans ses *Mémoires* le don que lui fit Jahângîr de son portrait « dans une monture d'or, avec pendant de perle » et précise qu'à la cour moghole les nobles se voyaient offrir « un médaillon en or avec le portrait de l'empereur[20] ». La vogue du *shast* puis sa proscription officielle expliquent sans doute le nombre assez important de petits portraits moghols, de format ovale, initialement conçus pour des *shast* puis

8. École moghole (?), *Portrait de Shâh Jahân*, vers 1630-1640. Camée en sardoine, 0,23 x 0,20. Londres, Victoria and Albert Museum.

9. École moghole, *Portrait de l'empereur Jahângîr portant un camée en pendentif*, vers 1620. Gouache sur papier (album Minto). À droite : *Hâshim*. Dublin, Chester Beatty Library.

[cat. 23] Jaipur (?),
boucle de ceinture,
fin du XVIIIᵉ siècle.
Collection
particulière.

retirés de leurs montures pour être collés sur des pages d'albums (*muraqqa'*). Précieux à plus d'un titre,
les *Mémoires* de Sir Roe nous apprennent également qu'à la cour de Jahângîr séjournèrent quelque temps
deux peintres britanniques — dont l'ambassadeur, toutefois, ne précise pas l'identité —, dont on peut
imaginer, à la lumière de ce qui a été dit plus haut, que les travaux qu'ils livraient ne pouvaient qu'être
de nature à satisfaire les exigences esthétiques de l'empereur. On se souvient, en effet, que Jahângîr
n'avait pas manqué de faire appel au peintre portugais qui accompagnait la troisième mission jésuite pour
pallier la maladresse d'un des artistes de l'atelier impérial, impuissant selon lui à copier convenablement
une madone.

De fait la présence — restreinte, certes, et sans doute épisodique — d'artistes et d'artisans
européens à la cour moghole est attestée par les témoignages des missionnaires et, plus encore, des
voyageurs européens venus en Inde. Les noms de joailliers, d'orfèvres et de lapidaires européens — tels
Jean-Baptiste Tavernier, Geronimo Veroneo, Hortensio Bronzoni et Augustin Hiriart, dit Austin de
Bordeaux — furent souvent associés à l'opulence de la cour moghole et à la prédilection volontiers
ostentatoire de souverains passionnément épris de joyaux et de gemmes. Dans ses *Mémoires*, en date de
l'année 1619, Jahângîr mentionne un Européen sans rival dans l'art de la joaillerie, qui réalisa à sa
demande un trône d'or et d'argent reposant sur des pieds en forme de tigre, et auquel le monarque fit
don, pour prix de sa virtuosité, d'une coquette somme d'argent ainsi que d'un cheval et d'un éléphant.
À cet orfèvre habile entre tous — et qui n'est autre qu'Austin de Bordeaux —, l'empereur décerna le titre
de *Hunarmand*, le « Talentueux ». Passé au service de Shâh Jahân en 1628, Austin réalisa pour ce monarque
fastueux entre tous un trône en or constellé de pierres précieuses — dans lequel certains auteurs
aimeraient reconnaître le célèbre trône du paon (*Takht-i-Ta'us*), commandé par Shâh Jahân l'année même
de son avènement. Évoquant le trône et son commanditaire dans une lettre désabusée datée du 9 mars
1632, Austin écrit : « J'ai passé ces deux années à Agra à dessiner les plans d'un nouveau trône que le roi
m'a commandé avant de quitter Agra pour le Deccan. Le roi a demandé que deux cents fois

cent mille livres soient dépensées pour ce trône en or, diamants, rubis, perles et émeraudes. Mais je doute qu'il en jouisse jamais. Sa cruauté et son avarice l'en empêcheront, car il est haï des grands comme des petits[21]. »

Le fait est que certains objets issus des ateliers moghols reflètent, par leur style ou leur technique, une influence manifestement occidentale — ou du moins passablement hybride. C'est le cas notamment de certains camées exécutés durant le règne de Shâh Jahân et portant l'effigie du monarque (fig. 8-9), qui sont en quelque sorte l'équivalent, gravé sur sardoine, des *shast* naguère prohibés. L'un de ces camées, gravé de l'image de Shâh Jahân mettant à mort un lion, porte une inscription en persan précisant qu'il fut exécuté par *Kan Atamm,* le « Suprême Graveur » — titre qui, à l'instar de celui que Jahângîr avait conféré à Austin, pourrait aussi désigner quelque lapidaire européen au service du monarque[22]. L'art de l'émail, fleuron de la joaillerie moghole [cat. 23], semble avoir été également pratiqué par des artisans européens actifs dans les ateliers du Grand Moghol, d'où le dessin et les coloris de style Renaissance du décor émaillé de certains bijoux moghols. Le « médecin » Niccolao Manucci, qui séjourna en Inde de 1656 à 1717, note du reste dans sa *Storia do Mogor* que, dès le règne d'Akbar, « des lapidaires, des émailleurs, des orfèvres, des chirurgiens et des artilleurs » d'origine européenne travaillaient pour le compte des empereurs moghols[23].

Ainsi, tandis que des artisans européens mettaient leur savoir-faire au service de souverains indiens, les témoignages les plus achevés de l'artisanat en faveur dans les contrées d'Occident parvenaient en nombre à la cour moghole. Tapisseries et bijoux européens que le gouverneur de Surate, Muqarrab Khân, s'empressait de remettre à l'empereur Jahângîr ou encore panneau offert par Tavernier, le 12 septembre 1665, au *nawâb* Ja'far Khân, oncle de l'empereur Aurangzeb : « [...] un panneau, avec dix-neuf plaques pour faire un cabinet, le tout en pierres précieuses de couleurs diverses représentant toutes sortes de fleurs et d'oiseaux. L'objet a été fabriqué à Florence et a coûté 2150 livres[24]. »

On se souvient que l'Angevin François Bernier, qui séjourna quelque dix ans en Inde et fut reçu à la cour d'Aurangzeb, décrivant dans une lettre à l'un de ses correspondants parisiens le Tâj Mahal d'Agra et ses éblouissantes incrustations de pierres semi-précieuses, évoquait également Florence, patrie de l'art consommé du *commesso di pietre dure* : « Il n'y a endroit qui ne soit travaillé avec art et qui n'ait sa beauté particulière. L'on ne voit partout que *yashm* ou jade, que de ces sortes de pierres dont on enrichit les murailles de la chapelle du grand-duc à Florence, que jaspe et que plusieurs autres espèces de pierres rares et de prix, mises en œuvre de cent façons, mêlées et enchâssées dans les marbres qui couvrent le corps du mur[25]. »

Le fait est qu'on a longtemps voulu voir dans les *pietre dure* du Tâj Mahal la marque d'une probable influence extra-indienne et, plus précisément, florentine — de la même façon qu'il était naguère encore de bon ton de laisser entendre que le Tâj Mahal lui-même ne pouvait qu'être l'œuvre de quelque architecte venu d'Europe mettre ses talents au service du Grand Moghol ! Or, si les fleurs, par leur agencement régulier et leur traitement naturaliste, s'inspirent à l'évidence des herbiers européens diffusés à la cour moghole — et dont les planches inspirèrent en maintes occasions les peintres impériaux[26] —, elles n'en demeurent pas moins le reflet composite et hybride de ces lointains modèles, subtilement repensés et transformés par les artistes moghols. Les lapidaires moghols, toutefois, connaissaient les *commessi di pietre dure* florentins : en témoignent le décor du hall des audiences publiques du fort rouge de Delhi (1638-1648) — qui mêle aux *pietre dure* mogholes des *pietre dure* d'origine florentine figurant des oiseaux et des fleurs ou montrant Orphée jouant de la lyre — et le présent fait par Tavernier à Ja'far Khân en 1665.

Bien que l'évocation de la présence, dans les ateliers impériaux, d'orfèvres et de lapidaires européens sorte du cadre strict d'une étude portant sur la venue des pères jésuites à la cour moghole et sur les conséquences artistiques fortuites de leur zèle missionnaire, il nous a néanmoins paru utile de rappeler, fût-ce brièvement, l'extraordinaire variété des sources et des modèles étrangers attestés dans l'Inde moghole. Tous contribuèrent en effet, avec plus ou moins de bonheur et de pérennité, à favoriser divers aspects de l'éclectisme artistique moghol des XVIᵉ et XVIIᵉ siècles et, plus encore, de l'imagerie et de l'iconographie impériales. Ainsi l'art européen, dont la découverte sous le règne d'Akbar transforma la technique picturale moghole, allait exercer une influence bien plus déterminante encore sous le règne de Jahângîr. Avides d'innovations picturales, les peintres de Jahângîr eurent recours à l'imagerie chrétienne et à son symbolisme afin d'élaborer une nouvelle iconographie impériale, nourrie de références et de motifs européens et destinée à glorifier l'empereur et à exalter sa grandeur et sa puissance. Les brillants et complexes portraits allégoriques, qui virent le jour dans les dernières années du règne de Jahângîr et continuèrent d'être produits sous Shâh Jahân, témoignent dès lors de l'assimilation volontaire, par quelques-uns des peintres les plus éminents de l'atelier impérial, de motifs étrangers (globe, couronne, sablier, nimbe rayonnant, *putti*, etc.), savamment intégrés à l'iconographie impériale moghole et subtilement associés à d'antiques symboles islamiques célébrant la royauté et la légitimité dynastique[27].

Dans les sultanats du Deccan où des dynastes musulmans régnaient sur des cours opulentes, cosmopolites et fastueuses — bien avant que Bâbur ne fonde, en 1526, l'empire moghol —, des œuvres d'art apportées d'Occident étaient également diffusées et prisées de souverains dont certains, tel le fondateur du royaume de Golconde, Sultan Quli Qutb Shâh, prince turcoman originaire de Perse, étaient naturellement portés à l'éclectisme culturel et artistique. Ces prédispositions quasi ataviques se virent bientôt renforcées par des circonstances historiques qui favorisèrent l'établissement de comptoirs européens sur les côtes de Malabar et de Coromandel. En 1510 Alphonse de Albuquerque enlevait Goa au sultan de Bijapur, Ismail Adil Shâh et, sous l'impulsion de vice-rois et de missionnaires lusitaniens, Velha Goa, capitale du vice-royaume portugais des Indes, se couvrit d'églises et de monastères, tandis que s'amoncelaient dans ses entrepôts épices et pierres précieuses, brocarts, soieries et porcelaines. Moins d'un siècle plus tard, en 1605, les Hollandais établissaient à Masulipatnam, port principal du royaume de Golconde, le premier de leurs comptoirs, étendant dès lors leurs entreprises maritimes et commerciales à d'autres ports de la côte de Coromandel ainsi qu'à Golconde même et jusqu'à Bijapur. À cette présence occidentale attestée, dès 1510, dans le Deccan, se rattachent à l'évidence les nombreuses miniatures peintes dans les ateliers royaux de Bijapur et de Golconde, copiées ou inspirées — à l'instar des miniatures mogholes contemporaines — de gravures européennes à sujet religieux, dont les artistes deccanis offrirent à leur tour de singulières et hybrides adaptations (fig. 10).

Amina Okada

NOTES

1. Située sur la côte occidentale de l'Inde, la ville de Goa était devenue en 1510 colonie portugaise, quand Alphonse de Albuquerque l'eut enlevée au sultan de Bijapur.

2. Beach, 1978, p. 155.

3. Abû'l Fazl 1973, III, p. 37.

4. Brand et Lowry, 1985, p. 97.

5. *Ibid.*, p. 97.

6. *Ibid.*

7. *Ibid.*, p. 98.

8. Beach, 1978, p. 156, 186, note 6.

9. Trois missions jésuites se succédèrent à la cour d'Akbar : la première de 1580 à 1583 ; la deuxième de 1591 à 1592 ; la troisième de 1595 à 1614.

10. P. du Jarric, 1926, p. 160-172.

11. Das, 1978, p. 231.

12. *Ibid.*

13. Hosten, « The Annual Relation of Father Fernão Guerreiro, S. J., for 1607-1608 », in *Journal of the Panjab Historical Society*, 1918, VII, nᵒ 1, p. 61.

14. P. du Jarric, 1926, p. 67, 190-191.

15. Hosten, *op. cit.*, p. 58-60.

16. *Ibid.*, p. 55, 60.

17. Beach, 1978, p. 156.

18. Das, 1978, p. 233.

19. Beach, 1981, p. 170-171, nᵒ 17 c.

20. Latif, 1982, p. 119.

21. « Four Letters by Austin of Bordeaux », in *Journal of the Panjab Historical Society*, 1918, IV, p. 3, 16.

22. Skelton *et alii*, 1982, p. 123, nᵒ 377 ; cf. également p. 122, nᵒˢ 375, 376.

23. Pal *et alii*, 1989, p. 143.

24. Koch, « Pietre Dure and Other Artistic Contacts between the Court of the Mughals and that of the Medici », in *Marg, A Mirror of Princes, the Mughals and the Medici*, 1987, p. 44.

25. Bernier, 1981, p. 225-226.

26. Skelton, « A Decorative Motif in Mughal Art », in *Aspects of Indian Art*, 1972, p. 147 *sqq.*

27. Okada, 1992, p. 27-59.

39

10. École de Golconde,
Adoration de l'Enfant Jésus,
milieu du XVIIe siècle. Encre
et rehauts de couleur
sur papier, 14,5 x 10.
Paris, musée national des
Arts asiatiques-Guimet.

GRAMMAIRE D'UNE COLLECTION, REFLETS DE DEUX LANGAGES

Sous le titre « Grammaire d'une collection », nous proposons un inventaire formel du riche fonds de mobilier indo-portugais conservé au Museu Nacional de Arte Antiga ; nous nous attacherons plus particulièrement à l'étude des pièces de mobilier domestique ou religieux[1] du XVIIe siècle.

L'appellation d'art « indo-portugais[2] » — que l'on pourrait tout aussi justement qualifier de « luso-indien » — ne tient pas à une quelconque emphase superlative visant à glorifier des concepts esthétiques nationaux mais plutôt à la reconnaissance de l'existence d'un style à part entière, au sens où ces meubles et ces objets possèdent des caractères communs. Ces pièces constituent un tout en dépit de quelques lacunes et de la qualité inégale des objets. Cet ensemble met en évidence une certaine diversité des formes de meubles — diversité des genres et diversité morphologique et stylistique des meubles à l'intérieur de chaque genre. Le présent exposé s'attachera donc, à travers l'étude de ces données, à décrypter ces différentes codifications.

Les premiers meubles portugais arrivèrent en Inde avec les bateaux. Ils servirent naturellement de références pour les nouvelles pièces œuvrées sur place. Toutefois, on ne peut pas réellement parler de simple copie servile. En effet, l'extraordinaire foisonnement de matériaux luxueux, la multitude des essences de bois précieux disponibles et, surtout, le talent des artisans indiens, dépositaires de répertoires décoratifs raffinés, sont autant de paramètres qui, conjugués avec les formes importées, s'exprimèrent en d'originales synthèses.

Dans cet article, la présentation des meubles est soumise à l'élaboration d'une typologie définie par genres[3]. Les résultats présentés tiennent bien sûr compte du traitement du décor, de l'étude des dimensions ainsi que des études descriptives. C'est donc le croisement de l'ensemble de ces données qui permet de mettre en exergue l'expression des nuances.

Le remarquable développement des missions religieuses entraîna la réalisation sur place de pièces pour les besoins du culte et l'ameublement des missions et des nombreuses églises mais également de meubles et d'objets destinés aux négociants portugais[4]. Très vite, la renommée de ces objets de grand luxe dépassa rapidement les frontières et les océans, et les commandes ne tardèrent pas à affluer en grand nombre. L'étude des inventaires nous apprend que l'on appréciait alors l'emploi des riches matières exotiques (bois, nacre, écaille, etc.) et les embellissements ajoutés en métal doré et ajouré, en argent ciselé, repoussé ou travaillé ou en or enrichi d'émaux polychromes d'insigne qualité.

Pour pouvoir honorer ces demandes toujours plus pressantes, les missions transgressèrent les mesures décrétées par le premier concile provincial de l'église de Goa de 1567 — qui avait interdit la fabrication d'objets sacrés par les « gentils[5] » — et recoururent à la main-d'œuvre locale. Ce point est primordial car il permet de comprendre — si ce n'est d'expliquer — l'apparition relativement précoce d'éléments orientaux au sein d'un répertoire formel traditionnel, dans les modes techniques et dans leurs matériaux : « Ils font faire des ouvrages par leurs esclaves et serviteurs[6]. »

Ci-contre :
Inde moghole, *contador*, XVIe-XVIIe siècle. Teck, ébène, *sissan*, bois exotiques, ivoire, métal, 140 x 117 x 60. Lisbonne, Museu Nacional de Arte Antiga

1. Goa, chaise à bras, XVIIᵉ siècle. Teck sculpté, assise et dossier à cannage large, 107,5 x 55,5 x 49,5. Lisbonne, Museu Nacional de Arte Antiga.

Mobilier domestique

SIÈGES. Les sièges, meubles de repos mobiles, comportent un plan horizontal, généralement souple, situé à une hauteur inférieure à l'appui, qui peut être revêtu de diverses matières. À cet aspect strictement fonctionnel et utilitaire s'ajoute un symbolisme. En Inde le siège bas et l'estrade étaient les prérogatives du pouvoir et de l'ordre absolu[7], investis d'une forte valeur culturelle, liée tant au contexte social et artistique qu'à l'idéologie de telle ou telle civilisation[8]. Après l'arrivée des Portugais, le siège traduit et matérialise un nouveau quotidien.

Parmi les rares exemplaires de sièges indo-portugais du XVIIᵉ siècle parvenus jusqu'à nous, un modèle mérite plus particulièrement notre attention. Il s'agit d'une chaise à bras, dont la structure menuisée est directement issue des chaises de confrérie en usage dans la péninsule dès la fin du XVIᵉ siècle : *sillones fraileros* (fig. 1). Les sièges indiens étaient en effet bas, sans appui pour les bras et de proportions assez vastes pour s'y reposer jambes croisées[9]. Cette pièce se caractérise par un dossier légèrement incliné, un alignement rectiligne, des bras droits et parallèles à l'assise. Les patins latéraux, qui originellement joignaient les pieds, sont manquants.

La composition ornementale sculptée demeure de goût occidental avec son agencement symétrique et axé, caractéristique de la Renaissance. Sur la traverse supérieure du dossier on remarque, au centre, l'emblème des dominicains, encadré par deux figures qui semblent le présenter. On aperçoit également des éléments ornementaux directement puisés dans la flore orientale, tels que la fleur de lotus épanouie et le vase de vie d'où jaillissent des éléments végétaux et des fleurs. De même, l'utilisation du cannage, alors totalement inconnu en Europe, est à prendre comme une adaptation des usages indigènes. La canne de rotin, gardant sa souplesse dans les climats tropicaux humides, remplace ici le cuir travaillé des assises alors en usage au Portugal et que l'on retrouve sur d'autres modèles dans les Indes portugaises.

Ce type de siège n'a pas été l'apanage exclusif des ordres religieux. Il apparaît ainsi dans la représentation d'une scène civile sculptée au dos d'une écritoire cingalo-portugaise [cat. 26] ou, plus fréquemment encore, dans des motifs brodés sur les tentures ou les couvre-lit[10]. L'abondance de ces représentations nous autorise à écrire que ce type de siège était alors vraisemblablement le plus répandu. Notons que dans certaines églises de Goa, notamment à l'église du Bom Jesus et au séminaire de Rachol, on trouve encore des sièges à bras et un tabouret identique[11].

TABLES. Les tables (*mesas*), constituées d'une surface plane, horizontale, rigide, située à hauteur d'appui ou plus bas, peuvent servir de support à un autre meuble. Celles conservées dans la collection comportent des tiroirs. Le modèle de référence, d'inspiration péninsulaire (fig. 2), a des pieds en forme de lyre reliés par des traverses chantournées. Ces tables, au nombre de treize, suggèrent plusieurs observations. La plupart d'entre elles possèdent un plateau débordant ; leurs pieds présentent de multiples variantes, fruit d'un réel métissage entre le modèle occidental et l'imaginaire hindou[12].

La table d'estrade présentée ici [cat. 30] associe clairement la fonction d'appui à celle d'écriture ; ses tiroirs sont agrémentés de compartiments faisant office de plumier pour ranger l'encrier, le sablier, les plumes, etc. Remarquons que l'usage des tables d'estrade, emprunté à la tradition islamique, sera encore attesté au début du XIXᵉ siècle au Portugal[13]. L'uniformité décorative qui règne dans ces meubles prouve la prééminence d'un modèle aux nombreuses variantes. Seules deux tables présentent sur leur plateau un répertoire ornemental différent. L'une d'entre elles (fig. 3) peut être datée plus précisément du milieu du XVIIᵉ siècle[14]. Elle porte en effet les armoiries de Martim Velho Barreto, inspecteur général du domaine de Goa. Et on connaît une peinture parfaitement datée, représentant Barreto[15]. Il s'agit là d'une variante historique rare car bien souvent aucun élément fiable n'autorise le chercheur à avancer précisément une date ou un lieu de fabrication.

On peut encore ajouter à ce groupe une table d'apparat (*bufete*[16]), généralement placée dans un grand espace. Les différences entre ce type de tables et les tables d'écriture résident principalement dans les proportions. Notons également que sa partie plane est tangente à la ceinture et présente une alternance de tiroirs vrais et simulés. Ni le répertoire décoratif, ni l'essence utilisée ne permettent, dans le cas présent, de déterminer l'origine de l'objet, ni de préciser s'il a été fabriqué par des ouvriers indiens ou portugais. N'oublions pas qu'à la fin du XVIᵉ siècle les influences indienne et orientale commencent à s'affirmer au Portugal, à tel point que les bois exotiques sont importés en grande quantité pour servir à la fabrication de meubles de luxe, écartant ainsi les essences locales au profit des nombreuses variétés de palissandre, de l'ébène ou du *sissan*. En outre, les artisans procèdent à des incrustations d'ivoire, d'os, d'essences rares ou à des applications de métal ajouré.

Résultats statistiques et répartition
- Présence caractéristique d'une surface plane saillante.
- Généralement présence de deux tiroirs insérés dans la ceinture.
- Implantation des tiroirs sur les deux côtés de la ceinture (table de centre, deux cas).
- Décor tapissant d'éléments géométriques incrustés (huit cas).
- Présence d'un décor d'arabesques végétales stylisées sur le plateau (deux cas).
- Simplicité de la décoration, obtenue par le contraste de deux bois, dans le goût des modèles européens (deux cas).
- Insertion des pieds dans la ceinture — droits dans la plupart des cas (six) et renforcés par des traverses, presque toujours doublés, présentant des chantournements au niveau de la traverse inférieure.
- Pieds en bois tourné (trois cas).
- Pieds torsadés (deux cas).
- Figures sculptées représentant des *naga*[17] en guise de piètement (un cas).

3. Goa, table, milieu du XVIIᵉ siècle. Teck, ébène, ivoire, 78,2 x 92 x 61,5. Lisbonne, Museu Nacional de Arte Antiga.

2. Portugal, table d'estrade, XVIIᵉ siècle. Palissandre, ivoire, 41 x 67 x 46. Lisbonne, Museu Nacional de Arte Antiga.

[cat. 30] Goa, table d'estrade, première moitié du XVIIᵉ siècle. Lisbonne, Museu Nacional de Arte Antiga.

4. Anonyme, *Bazar de Goa*
(détail), 1595. Gravure,
in J. H. Linschotten,
*Itinerario naer cost ofte
Portugaels Indien.*

- Pieds en forme de lyre, servant de prétexte à l'insertion du vautour sacré (*jatayu*) ou du dragon ailé,
enroulé sur lui-même et de profil (dix cas).

- Ferrures — à la fois objets pratiques et décoratifs — ajourées et réparties principalement sur le devant
des tiroirs.

- Boulons — très courants dans le mobilier portugais — qui servent à l'assemblage des traverses.

COFFRES ET COFFRETS. Les coffres (*arcas*) sont les ancêtres des meubles dits « de rangement ». Dans la
collection, ce groupe est sans doute le plus important et complexe en raison de la polyvalence attachée à
l'objet, tour à tour armoire, siège, malle, voire lit. Vrais réceptacles de l'exotisme, ils ont fait l'objet de
nombreuses réglementations destinées à fixer leurs dimensions (fig. 4).

Les coffres plats, également appelés bahuts ou huches, sont constitués d'un corps fermé accessible
par un dessus ouvrant et servent au rangement d'objets ou à la conservation de vivres. Ils possèdent des
pieds ou reposent à même le sol. Ils se caractérisent par une partie plane saillante, articulée par des
charnières ou des gonds, une autre fermée par une serrure et dotée de poignées latérales en forme
d'anneaux. À côté des modèles rudimentaires, dépourvus de décor extérieur, existent des modèles plus
élaborés, peints ou sculptés.

Les grands coffres dits « de Cochin[18] », encore très proches des exemples portugais, appartiennent au premier sous-groupe. Ils sont souvent réalisés en bois d'angelin, l'un des plus précieux et prisés de l'époque : « On trouve près de Cochin un arbre nommé Angelina duquel on fait certains bateaux et tous d'une pièce [...] En est le bois si fort et mordant que même avec la longueur du temps il consomme le fer[19]. » Leur unique décor consiste en rangées de clous à large tête qui mettent pleinement en valeur la noblesse du veinage du bois dont le grain fin permet un poli parfait. La surface plane du couvercle, aux bords arrondis et lisses, est légèrement saillante. Ces coffres peuvent posséder une ou deux rangées de tiroirs dans la partie inférieure. Leurs pieds sont presque toujours ronds, en forme de boule.

Dans cet ensemble, on remarque une pièce tout à fait singulière (fig. 5) qui a conservé sur la face interne de son couvercle un décor peint à thème religieux. Ce coffre servait vraisemblablement à ranger les habits ou les objets liturgiques d'une confrérie. La scène se détache sur un fond blanc. À gauche, saint François d'Assise embrasse le Christ qui s'incline depuis la Croix, appuyant sur le saint son bras droit. À droite, la Vierge offre son chapelet à saint Dominique, pendant que l'Enfant Jésus donne sa ceinture à saint François. Au centre, deux anges présentent l'Eucharistie dans un imposant ostensoir à clochettes. À la base de l'autel, on lit l'inscription suivante : *Louvado seja o Santissimo Sacramento*. Au sommet, de part et d'autre de cette scène, comme pour renforcer la symbolique, se trouvent le soleil et la lune. Un semis d'étoiles garnit les autres faces intérieures renforcées au sommet par des équerres en fer incrustées[20].

Les coffres peuvent être regroupés en deux catégories, suivant leur décor sculpté ou incrusté. Un exemple offre un décor au caractère islamisant très prononcé, avec ses incrustations de cercles et d'éléments géométriques ordonnancés et répétitifs.

5. Cochin, coffre, XVIIe siècle. Bois d'angelin, polychromie, ferrures en fer forgé, 123 x 65,7 x 67. Lisbonne, Museu Nacional de Arte Antiga.

6. Goa, coffre, XVIIe siècle. Teck, ébène, *sissan*, ivoire, ferrures en tombac (?), 53 x 109,5 x 66,5. Lisbonne, Museu Nacional de Arte Antiga.

Trois autres coffres s'ornent de rinceaux qui mêlent des éléments végétaux et zoomorphes, combinant harmonieusement les sources d'inspiration européenne et les figures issues de la mythologie locale. L'un d'entre eux se caractérise par ses tiroirs simulés en façade (fig. 6). La composition de ses bordures rappelle en outre l'art textile traditionnel avec ses tiges ondulantes et ses rinceaux floraux.

Sur l'un des deux exemplaires présentant un décor sculpté, très nettement marqué par l'art indien, des dragons se dissimulent dans un luxuriant réseau de feuillage, abondamment parsemé de fleurs et de fruits.

Les autres pièces, du fait de leurs dimensions plus restreintes, sont appelées petites huches (*arquetas*)[21]. Les entailles identiques sont encadrées par une frise en pointes de diamant. L'intérieur du couvercle est peint selon un usage fréquent pour ces coffrets, traduisant une source d'inspiration chinoise. Ici, sur un fond rouge, des oiseaux et d'autres animaux évoluent entre les ramages. Les essences utilisées sont variées : pour l'un, teck et *medang* ; pour l'autre, camphre.

Résultats statistiques et répartition
- Forme parallélépipédique.
- Couvercle plat, saillant, articulé par des charnières et des gonds.
- Fond cloué.
- Pieds généralement en forme de boule.
- Dans la plupart des cas, absence de décor ; sinon, incrustations de figures ou décor entaillé et sculpté.
- Rôle essentiellement fonctionnel des ferrures (poignées latérales, fermeture à verrou généralement en fer).
- Sur les coffres dépourvus de décor, présence sur les arêtes de clous assurant une fonction décorative.
- Absence de tout coffret laqué et doré.

CABINETS. Les cabinets (*contadores*) sont les meubles les plus caractéristiques du XVIIᵉ siècle au Portugal. Apparentés, par leur disposition, au modèle espagnol, ils sont la version portugaise du *bargueño* et du cabinet et, avec leurs tiroirs toujours apparents en façade et de même taille, se distinguent très nettement des autres exemples européens. Ils remportent un succès particulier en Inde, avec l'adaptation d'un décor tout à fait original qui combine avec maestria les riches répertoires iconographiques issus de la Renaissance et les figures empruntées tant à la mythologie perso-islamique qu'au panthéon hindou. Ils sont constitués de deux corps superposés, séparés par une partie intermédiaire — parfois présente chez leurs homologues portugais —, qui apparaît comme la véritable spécificité des *contadores* indo-portugais.

La partie supérieure, munie de nombreux tiroirs égaux, ne possède ni porte ni abattant frontal. Elle s'encastre dans le plateau supérieur de la partie inférieure. Celle-ci est l'élément qui présente le plus de variations, tant dans ses aspects formels que décoratifs. Elle se compose d'un ou plusieurs grands tiroirs ou de vantaux, voire d'arches. Dans tous les cas, les pieds sont des cariatides sculptées en haut relief figurant des *naga* (cas le plus fréquent), des *nagini* ou des *garuda*[22] (fig. 7). Les représentations du *jatayu* ou du dragon ailé n'apparaissent que sur les pieds[23].

Une pièce, en tous points remarquables, doit être rattachée à ce groupe. Connue sous l'appellation de *contador* moghol, elle reflète la conjonction de trois tendances artistiques[24] : perso-islamique, indienne et occidentale (fig. 8). Il s'agit d'un meuble à deux corps, dont chacun est constitué par des doubles volumes cubiques. Bien que la partie supérieure corresponde au type des *contadores* portugais (tiroirs apparemment

de mêmes dimensions) la construction et les techniques décoratives ainsi que le choix des répertoires ornementaux sont très différents de ceux référencés jusqu'alors. La décoration est symétrique, plus dense dans la partie frontale extérieure du meuble. Marquetés en métal et en ivoire, de plusieurs nuances, des thèmes mythologiques ou de cour et des scènes dans lesquelles ressortent des chasseurs portugais y figurent, minutieusement représentés, comme dans l'art persan. Originellement, le meuble dispose de pieds, en forme de lion couché.

Résultats statistiques et répartition

- Fidélité du corps supérieur à son homologue portugais, avec peu de variantes.
- Sur un plan quantitatif, équilibre entre les décors géométriques et zoo-phytomorphes.
- Prééminence du monde imaginaire et symbolique sur le réel dans le décor ; combinaison des motifs.
- Persistance de la composition symétrique selon un ou plusieurs axes.
- Généralement, reprise, dans la décoration du plateau supérieur, des éléments utilisés en façade.
- Absence de décor à l'arrière.
- Localisation des ferrures, en tombac[25] doré ou en laiton, sur les frises et les coins, en de fines bandes ajourées, boutons poussoirs avec des écussons ou anneaux latéraux de préhension, fixés par des rangées de clous décoratifs (rarement sur les pieds) ou des boulons — sur les traverses inférieures (comme sur les lits et les tables portugaises).
- Influence moghole dans le choix des thèmes décoratifs traités avec finesse et minutie et dans le mode de construction.
- Répartition différente des ferrures sur le *contador* moghol par rapport au *contador* indo-portugais : moins nombreuses et constituées de plaques de métal découpées.

COFFRES À TIROIRS. Également appelés *contadores*, ce sont de petits coffres de voyage dotés de tiroirs (*cofres de gavetas*), aisément transportables. La collection n'en possède que deux[26].

CASSETTES. Ces cassettes (ou coffrets) sont généralement de petite taille, de forme paralléllépipédique, avec un couvercle à facettes, bombé ou garni de cannelures concaves ou convexes. On les comptait parmi les « joyaux » de l'Inde. Leur prix était prohibitif. Elles étaient destinées à contenir toutes sortes d'objets précieux, rares ou d'une grande valeur affective. Le prestige dont elles étaient auréolées était tel qu'elles furent souvent utilisées comme cadeaux diplomatiques. Affectées au domaine religieux, elles servent de reliquaires ou de ciboires ou encore à transporter le Saint Sacrement lors de la procession du Vendredi saint[27].

Elles sont fabriquées en matériaux exotiques précieux, en ivoire ou en nacre, plaqués sur une âme en bois précieux, entièrement réalisées en écaille de tortue moulée à chaud ou encore en argent ou en or, travaillé en filigrane. La serrure, très souvent en argent, est parfois rehaussée de gemmes incrustées[28]. Des anneaux de préhension garnissent les côtés ou le couvercle, ainsi qu'une fermeture à verrou, semblable à celle des coffres, généralement en forme de salamandre (symbole du feu et de l'immortalité). Les autres embellissements de serrurerie, généralement des motifs figuratifs ou floraux stylisés en argent étiré et découpé, gravés au burin et disposés en bandes, occupent les angles du couvercle, protégeant les coins et formant les pieds.

VENTOS. Ces meubles, de format parallélépipédique, dissimulent derrière une porte frontale une série de petits tiroirs. Ils possèdent une serrure garnie d'un écusson découpé dans une fine lame de métal. Ils sont facilement transportables, comme en témoignent les anneaux du couvercle. Aussi populaires et répandus que les coffres à tiroirs, les *ventos* doivent être étudiés séparément, en raison principalement de leur origine incontestablement orientale[29]. Les trois exemplaires déposés au musée témoignent de la variété

[cat. 26] Ceylan, écritoire portable (détail), milieu du XVIIᵉ siècle. Lisbonne, Museu Nacional de Arte Antiga.

des traitements décoratifs des surfaces — incrustations géométriques d'obédience islamisante ou décors laqués[30], pouvant d'ailleurs présenter des thèmes européens (fig. 9).

Meubles liés à l'écriture

TIROIRS ÉCRITOIRES. Caractérisés par leurs dimensions restreintes et des anneaux latéraux de préhension, ces tiroirs écritoires (*gaveta escritorios*) peuvent être facilement transportés et rangés de manière fonctionnelle. Leur forme reste celle des modèles qui avaient prédominé durant la Renaissance. Ils comportent généralement deux compartiments, avec un tiroir et parfois une trappe. Ils contiennent des emplacements appropriés au rangement des ustensiles d'écriture. L'un d'entre eux présente une variante : le couvercle amovible dévoile les caissons de rangement au lieu de l'habituel tiroir. Le décor ajouté, là aussi incrusté, se répartit équitablement entre les figures géométriques et les éléments végétaux[31].

CABINETS À ABATTANT. Comme leur nom l'indique, ces meubles (*escritorios*), dont la fonction principale est liée à l'écriture, ressemblent beaucoup au corps supérieur des *contadores*. Ils sont composés d'un coffre parallélépipédique contenant de petits tiroirs de taille inégale, répartis de part et d'autre d'un tiroir central, souvent décoré d'un motif d'arcature. Fréquemment se dissimule, dans le fond, un compartiment secret[32].

La différence avec le *contador* réside dans l'abattant frontal qui, fermé, permet d'occulter les tiroirs et, ouvert, fait office de pupitre. Ces cabinets, avant tout fonctionnels, d'utilisation quotidienne et

9. Atelier
indo-portugais,
vento, XVIIᵉ siècle.
Teck laqué noir,
polychromie, ferrure
en métal doré,
38 x 32 x 42.
Lisbonne, collection
particulière (dépôt au
Museu Nacional
de Arte Antiga).

facilement transportables, ont un décor quasiment inexistant. À l'exception d'une pièce dont les tiroirs sont envahis par un décor tapissant géométrique d'influence moghole, en ivoire naturel et bois teinté.

Parmi ceux considérés comme des « joyaux » indiens, objets de prestige, deux pièces cingalo-portugaises se distinguent. Entièrement revêtues de plaques d'ivoire ajourées et appliquées sur une mince feuille d'or recouvrant une âme de bois, elles attestent la virtuosité des artisans cingalais, dont les ouvrages en ivoire étaient renommés dans toute l'Inde. L'île de Ceylan (Sri Lanka) « est la plus fertile de toutes [...] On y trouve aussi une grande quantité d'ivoire [...] Les cingales [...] sont fort adextres et entendues à besogner en ivoire, or et argent et leurs ouvrages sont les plus exquis et estimés de toute l'Inde[33] .»

Ces objets figurent parmi les plus anciennes pièces documentées.

Résultats statistiques et répartition
- Identité de structure formelle de toutes les pièces.
- Quasi-inexistence de la décoration — quelques frises incrustées et réparties en bandes — sur les pièces en bois.
- À l'arrière, présence du même type de décoration que sur les côtés.
- Ferrures généralement en fer, composées d'écussons de serrures, de boutons poussoirs et d'anneaux latéraux, insérés en écusson incrusté.
- Revêtement extérieur constitué de plaques d'ivoire gravé appliquées sur des feuilles d'or.
- Petits pieds en ivoire tourné, s'introduisant dans un taraudage en ivoire, inséré dans la base du coffret.
- Ferrures de métal très finement ajourées (dentelées).

Mobilier religieux

CHAPIÈRES. Ces coffres (*arcaz*) sont aussi appelés « grands coffres », « grandes caisses » ou « caisses de sacristie ». Cette désignation en portugais fait référence à leurs dimensions imposantes. Ils servent d'ordinaire à conserver dans les sacristies les vêtements liturgiques (fig. 10). Ils figurent parmi les rares meubles que l'on peut encore trouver *in situ* dans les églises de Goa et qui n'ont subi aucune modification. Ils peuvent présenter des structures variées, avec de grands tiroirs et des portes avant ou latérales.

Les deux pièces conservées dans cette collection sont similaires. Elles présentent de grands tiroirs frontaux et des vestiges d'insertion d'un corps supérieur sur le couvercle, comme d'autres exemplaires connus hors collection, dont l'un a été localisé à Goa. Elles possèdent un décor analogue, constitué d'incrustations à caractère animalier, jouant habilement sur le contraste entre le clair et le sombre des essences tropicales. Les pieds, en forme de lion, ne semblent pas d'origine, comme en témoigne l'examen de la sous-face du meuble. Il est probable qu'ils étaient initialement de forme cylindrique

10. Goa, chapière, XVIIᵉ siècle. Teck, ébène, ivoire, 76,5 x 127 x 88. Lisbonne, Museu Nacional de Arte Antiga.

[cat. 2] Goa, oratoire,
XVIIᵉ siècle.
Lisbonne, Museu Nacional
de Arte Antiga.

(comme ceux observés sur l'*arcaz* de la sacristie de la Sé à Goa) ou alors en forme de boule.

Résultats statistiques et répartition

- Structure très semblable aux prototypes portugais ; décor constitué d'incrustations en bois sombre combinant des figures animalières et des entrelacs végétaux.
- Reprise, sur les côtés, de la décoration du devant du meuble.
- Absence de décor à l'arrière.
- Insertion des pieds dans le corps du meuble au moyen de tenons.
- Ferrures uniquement au niveau des écussons des serrures, conservant dans un cas des réminiscences des *gualdras*, représentés par des anneaux à fonction purement décorative.

LUTRINS D'AUTEL. Ces pupitres servent à présenter les livres sacrés durant les offices religieux (*estante de igreja*). Les deux exemplaires conservés au musée sont de conception différente et reflètent, pour l'un, une conception occidentale[34] et, pour l'autre, une source d'inspiration islamisante. Ce dernier est très proche des modèles articulés, habituellement réservés à la lecture du Coran. L'un des côtés, plus court que l'autre, permet de poser les livres saints, conformément aux usages occidentaux[35]. Comme pour les autres pièces, on retrouve les mêmes divergences décoratives. Le premier est incrusté de motifs tapissants géométriques, avec le monogramme de l'ordre des jésuites, le second voit fleurir des entrelacs stylisés autour d'un blason.

ORATOIRES DE TABLE. Meubles religieux, les oratoires (*oratorios*) sont des chapelles portatives privées destinées à l'usage du groupe familial. Architectures réduites, ils abritent les images sacrées du culte domestique, protégées par des portes. Les exemples de la collection offrent deux typologies directement inspirées de l'architecture occidentale. Le premier modèle [cat. 2] est surmonté d'une coupole de structure polygonale. Ses portes, entièrement dépliées, laissent

découvrir, sculptés dans de petites niches, des apôtres et quelques-uns des représentants des principaux ordres religieux de l'Inde. La niche centrale est rythmée par des arcatures soutenues par des colonnes baroques torsadées. Ce modèle, très répandu, reflète aussi des influences orientales dans le traitement des détails ornementaux[36], qui envahissent littéralement toute la surface. Le second modèle (fig. 11), marqué de l'emblème des dominicains, est également fortement inspiré de l'architecture du XVIIe siècle avec son couronnement triangulaire en forme de fronton[37].

Résultats statistiques et répartition

- Décoration incrustée ou sculptée polychrome et économie de ferrures.
- Structure polygonale : les images se dévoilent à travers des portes articulées ; colonnes torsadées ; le tout surmonté par une coupole.
- Structure d'influence classique : le fronton surmonte la niche réservée à l'adoration de la figure sacrée, protégée par deux portes.

Il n'est certes guère facile, en quelques pages, de rendre compte de l'étonnante diversité du mobilier indo-portugais. Cependant, à travers ces quelques études d'exemples pris dans une collection[38], on comprend bien comment, à partir d'une structure initiale, les différents éléments constitutifs des pièces se sont enrichis. Le répertoire ornemental est mixte, assimilant et combinant des éléments géométriques d'obédience islamisante, une flore stylisée, des animaux exotiques et des divinités du panthéon hindou aux motifs empruntés à l'iconographie chrétienne et au répertoire issu des modèles à la mode, véhiculés par la gravure. Une autre caractéristique du décor est son aspect tapissant : il recouvre la quasi-totalité des surfaces disponibles. Enfin ces motifs incrustés et entaillés de manière symétrique sur des bois exotiques, enrichis d'applications de métal doré et dentelé, contribuent à faire revivre le luxe véhiculé par ces objets.

Après avoir analysé la créativité et l'innovation du mobilier, force est de constater la réelle maîtrise et la maturité atteintes dans cette forme d'expression artistique au XVIIe siècle, reflet partiel mais brillant de la vie matérielle contemporaine et témoignage d'une formidable circulation d'idées et de valeurs.

Maria Conceição Borges de Sousa

11. Goa, oratoire, XVIIe siècle. Ébène, *sissan*, ivoire, ferrures métal doré, 59 x 25,7 x 25 (fermé). Lisbonne, Museu Nacional de Arte Antiga.

NOTES

1. L'origine de cette collection remonte à 1834 : à la suite de la promulgation de la loi sur la suppression des couvents et des ordres religieux, les collections nationales s'enrichirent des biens meubles des édifices désaffectés. Une seule exception fut faite pour les couvents de religieuses, qui ne fermeraient qu'après la disparition de leur dernière pensionnaire. Néanmoins une campagne active d'enrichissement des collections, dans les années trente, permit d'accroître ce noyau initial auquel il convient d'ajouter quelques legs et des dons. Certaines pièces arrivèrent dans les années quatre-vingt, avec la généreuse donation de Francisco Barros e Sá. Actuellement la collection compte quelque soixante-dix numéros.

2. Le terme indo-portugais a été vulgarisé par l'historien S. Viterbo, dans l'exposition *Art Ornamental, Notas ao catalogo*, Lisbonne, 1883.

3. On s'en tiendra à la définition simple due à J. Cuisenier : « Les genres sont des classes [...] reconnues similaires par les usagers et distinguées d'autres reconnues comme différentes par les mêmes usagers. »

4. J. H. de Linschotten, *Histoire de la navigation [...] aux Indes orientales*, Amsterdam, 1638 : « La ville est ornée de beaux édifices bâtis à la mode de ceux du Portugal [...] Les Portugais y usent des mêmes lois qu'au Portugal. » À propos de l'activité missionnaire, cf. T. Albuquerque, *Goa, the Rachol Legacy*, Bombay, 1997.

5. La capacité et l'habileté des artistes locaux sont attestées à travers des relations comme celle du jésuite Gomes Vaz (1567), qui décrit comment furent exterminées deux cent quatre-vingts pagodes hindoues dans les provinces de Bardes et Salsete en Goa : « Dans quelques-unes des œuvres somptueuses et très bien finies » ; « Aarte cristã de Goa », in *Oceanos*, n⁰ˢ 19-20, septembre-décembre 1994.

6. Goa, qui allait jouer un rôle prépondérant dans l'établissement de l'art indo-portugais, fut érigé en évêché indépendant en 1534.

7. Cf. D. Barbosa, décrivant, au début du XVIᵉ siècle, « ce qu'il a vu et entendu en Orient » et rapportant les coutumes des rois malabars : « Ce roi est toujours assis sur une estrade. »

8. J. H. de Linschotten, *op. cit.* : « Quand un visiteur vient en quelque maison, le maître lui présente un siège tel que le sien [...] Que si le maître de la maison lui présenta un siège trop bas ou qui fut moins brave que le sien [...] Ils sont magnifiques à la maison [...] entre les meubles de leur ménage ils ont cinq ou six chaises, une table et un lit. »

9. À propos du mobilier en Inde ancienne, cf. A. M. Loth, « L'ameublement dans l'Inde ancienne », in *Chroniques indiennes*.

10. Cf., par exemple, le fragment de courtepointe du Museu Nacional de Arte Antiga (inv. 3413 Tec) et l'article de M. E. Moeller, « An Indo-Portuguese Embroyderie from Goa », in *Gazette des Beaux-Arts*, série VI, XXXIV, août 1948.

11. Cf. B. Ferrão, 1990, III, p. 55, n⁰ 353, pour des chaises similaires ; *Via Orientalis*, cat. exp. Bruxelles, 1991, p. 116, n⁰ 85 ; M. H. Mendes Pinto, « Sentando-Se em Goa »,

in *Oceanos, op. cit.*, p. 46, fig. 3, 47, fig. 4a, 6a, 48, fig. 5b, 49, fig. 7. Cf. *Du Tage à la mer de Chine*, cat. exp. Paris, 1992, p. 96, n⁰ 39, pour le tabouret indo-portugais.

12. Un modèle de table pliante, autre variante (inexistante dans cette collection), est reproduit dans *Vasco de Gama et l'Inde*, cat. exp. Paris, 1998, p. 165, n⁰ 114.

13. Cité par M. H. Mendes Pinto, in *Vasco de Gama et l'Inde, op. cit.*, p. 164-165, n⁰ 113.

14. Cf. *Via Orientalis, op. cit.*, p. 117, n⁰ 87 ; *Vasco de Gama et l'Inde, op. cit.*, p. 162, n⁰ 110, pour des modèles similaires.

15. Le Museu Nacional de Arte Antiga possède une peinture (inv. 1288 P) datée de 1647, qui représente Martim Velho Barreto avec ses armoiries.

16. Cf., par exemple *Fundação Ricardo do Espirito Santo Silva*, cat. exp. Lisbonne, 1995, p. 31.

17. Le jupon est à rattacher à la fascination pour le serpent qui, croyait-on, vit au fond des lacs, gardien des incalculables richesses du monde souterrain. Il était censé pouvoir prendre une apparence humaine mais seul le haut de son corps était humain et son buste se terminait par une queue de serpent ; cf. *Mythologie asiatique illustrée*, Paris, 1928.

18. J. J. Felgueiras, « Arcas indo-portuguesas de Cochim », in *Oceanos, op. cit.*, p. 34-41 ; B. Ferrão, *op. cit.*, p. 361-370, n⁰ˢ 361-365, pour des modèles de coffres plats similaires.

19. J. H. de Linschotten, *op. cit.*

20. Parmi les exemplaires de coffres peints, on peut citer deux coffres conservés dans des collections privées au Portugal ; cf. B. Ferrão, *op. cit.*, p. 73, n⁰ 367.2 ; *Vasco de Gama et l'Inde, op. cit.*, p. 166, n⁰ 115.

21. R. Bluteau, *Vocabulario português e latino*, Coimbra, 1712-1728.

22. *Nagini* : forme féminine du *naga*, fréquemment représentée. Dans certains cas, elle apparaît les mains jointes, en prière, pour se racheter du mal qu'elle incarne. *Garuda* : gigantesque oiseau, ennemi des *naga*, qu'il dévore. Dans les représentations hindoues il prend une forme humaine, conservant de l'oiseau les ailes et le bec recourbé. C'est la monture de Vishnou.

23. Cf. aussi l'exemplaire conservé au musée Jacquemart-André à Paris ; *Via Orientalis, op. cit.*, p. 115, n⁰ 86, pour des exemplaires similaires ; F. H. Raposo, « O encanto dos contadores indo-portuguese », in *Oceanos, op. cit.*, p. 16-31.

24. Le Victoria and Albert Museum de Londres conserve un plateau de table de communion en bois incrusté d'ivoire (inv. IS 15-1882), probablement exécuté pour la chapelle des jésuites à Lahore, dont le décor est très proche de celui de ce *contador*. Le coffret écritoire conservé à la Fundação Ricardo do Espirito Santo Silva, à Lisbonne, possède un décor approchant.

25. Tombac : alliage de cuivre et de zinc dans des proportions variables. Le pourcentage le plus important est celui du cuivre : de 51,61 % à 98,61 %. Le tombac peut être doré.

26. Cf. *Oceanos, op. cit.*, p. 23, pour l'exemplaire du musée, à décor géométrique ; *ibid.*, p. 27-30, pour d'autres modèles ; *Via Orientalis, op. cit.*, p. 120, n⁰ 90, pour un exemplaire plaqué d'écaille. Pour des modèles similaires, cf. *De Goa a Lisboa, op. cit.*,

p. 108, n⁰ 51, 110, n⁰ 52 ; *Via Orientalis, op. cit.*, p. 122, n⁰ 94.

27. Cf. B. Ferrão, *op. cit.*, en se référant au coffre en écaille de tortue du musée (inv. 647 Our).

28. La littérature les a souvent reproduits ; cf., par exemple, *A Herança de Rauluchantim*, cat. exp. Lisbonne, 1996.

29. « Pequeno contador oriental [...] S. Rodolfo Dalgado », in *Glossario Luso-Asiatico*, Coimbra, 1919-1921.

30. Cf. J. H. de Linschotten, *op. cit.* : « La laque venait principalement du royaume du Pégus en des petits bâtons [...] Les Indiens la mettent en usage en coffres, sièges et autres ustensiles de bois. »

31. Cf. *Via Orientalis, op. cit.*, p. 119, n⁰ 89, 121, n⁰ 92, pour un modèle similaire ; *Vasco de Gama et l'Inde, op. cit.*, p. 164, n⁰ 112 ; *Oceanos, op. cit.*, p. 40, fig. 7.

32. Cf. *Vasco de Gama et l'Inde, op. cit.*, p. 163, n⁰ 111, pour un exemplaire conservé au musée.

33. J. H. de Linschotten, *op. cit.*

34. Cf. *De Goa a Lisboa, op. cit.*, p. 116, n⁰ 55.

35. Cf. *Via Orientalis, op. cit.*, p. 195, n⁰ˢ 194-195 ; *Vasco de Gama et l'Inde, op. cit.*, p. 160-161, n⁰ˢ 108-109. Cf. *De Goa a Lisboa, op. cit.*, p. 104, n⁰ 49, pour un modèle similaire, au décor différent.

36. *Ibid.*, p. 109, n⁰ 51, 110, n⁰ 52 ; *Vasco de Gama et l'Inde, op. cit.*, p. 137, n⁰ 79 ; *Via Orientalis, op. cit.*, p. 122, n⁰ˢ 93-94.

37. Cf. *Via Orientalis, op. cit.*, p. 123, n⁰ 95, pour un exemplaire similaire.

38. L'inventaire du mobilier indo-portugais des musées est en préparation.

ASPECTS DE BATAVIA AUX XVIIᴱ ET XVIIIᴱ SIÈCLES

MAISONS ET AMEUBLEMENT DES EMPLOYÉS DE LA COMPAGNIE DES INDES ORIENTALES NÉERLANDAISES

Au XVIIᵉ siècle, la Compagnie des Indes orientales (VOC) de la république des Provinces Unies connut un succès commercial sans précédent. Trente ans après sa fondation, qui datait de 1602, la Compagnie avait déjà réussi à s'imposer comme l'un des principaux transporteurs maritimes interrégionaux en Asie du Sud et du Sud-Est. Siège de l'administration depuis sa création en 1619, Batavia en était le centre principal en Orient. Bien entendu la Compagnie était également une entreprise commerciale orientée vers le marché européen dont elle tira ses principaux revenus au XVIIIᵉ siècle.

Pour réaliser ses activités commerciales en Asie la Compagnie fit appel à la main-d'œuvre locale mais il va sans dire que le fonctionnement de l'administration était garanti par la présence d'employés européens, tant à Batavia que dans tous les comptoirs asiatiques qui dépendaient de son autorité. Ces employés étaient en général recrutés temporairement, en principe pour cinq ans. En réalité il n'y avait pas de règle quant à la durée de leur service qui pouvait varier de quelques années à quasiment toute une vie. De nombreux facteurs entraient en jeu, celui de l'avancement n'étant pas un des moindres. Pour faire carrière — éventuellement fortune — la majorité des employés était contrainte de monter les échelons de la hiérarchie administrative de la Compagnie en Asie.

On a calculé le nombre de personnes qui ont embarqué à bord de navires de la Compagnie en partance pour l'Asie. Trois cent dix-sept mille personnes ont quitté les Pays-Bas au XVIIᵉ siècle ; au XVIIIᵉ, leur nombre — six cent cinquante-cinq mille — avait plus que doublé. Ces chiffres semblent impressionnants mais, comparés à la population asiatique que l'on estime à trois cent cinquante millions d'âmes au milieu du XVIIᵉ siècle, ils sont en fait dérisoires[1].

Cette petite communauté néerlandaise essayait d'ordinaire de préserver la culture de sa patrie en s'y cramponnant parfois jusque dans les moindres détails. Cependant on constate que d'aucuns ont inévitablement subi des influences et adapté leur mode de vie en fonction de circonstances inhérentes à l'existence sous les tropiques. En fait, la fidélité à la culture européenne et l'assimilation de la culture locale dépendent d'un certain nombre de facteurs, de nature sociale, psychologique et financière. Compte tenu du contexte, l'élite européenne avait intérêt à préserver son mode de vie afin de protéger son prestige social, quoique la distance entre cette minorité européenne et la population locale n'ait pas été une donnée constante. Pour la VOC le XVIIᵉ siècle fut un siècle d'exploration et de curiosité à l'égard des cultures étrangères et en même temps celui d'un patriotisme solidement ancré. À Batavia, ces tendances se traduisent dans l'architecture et dans les intérieurs des maisons des Néerlandais, où des éléments orientaux s'introduisent dans la tradition purement hollandaise. Au cours du XVIIIᵉ siècle la manière de vivre et, par conséquent, la culture matérielle de l'élite néerlandaise en Asie, ont subi de profonds changements. Tout en restant attachée à sa culture d'origine — tendance que l'on retrouve dans l'ameublement des riches demeures —, la société s'est petit à petit « indianisée » non seulement sur le

[cat. 60] Indes néerlandaises, fauteuil *burgomeister*, fin du XVIIᵉ-début du XVIIIᵉ siècle. Saint-Louis, musée des Arts décoratifs de l'océan Indien.

[cat. 59] Jan Brandes, *Le Pont d'un navire de la Compagnie des Indes néerlandaises en route pour Java* (détail), 1778. Amsterdam, Rijksmuseum.

1. D'après F. de Haan, *Oud Batavia*, 1922. Salle de la compagnie. Batavia, musée de la Bataviaasch Genootschap van Kunsten en Wetenschappen.

plan personnel et familial mais également dans la forme prise par l'extérieur des maisons, c'est-à-dire l'architecture. Toutefois, malgré un penchant très net pour le style européen, les Néerlandais de Batavia meublèrent et décorèrent leurs intérieurs d'une manière plus ambivalente au XVIIIe siècle qu'au XVIIe[2].

Le XVIIe siècle et les premières décennies du XVIIIe siècle

Dès la fondation de Batavia, les maisons des Néerlandais furent construites selon un plan hollandais et, comme dans la mère patrie, souvent situées le long de canaux. Elles étaient constituées de deux corps de logis, l'un s'ouvrant sur la rue, l'autre situé à l'arrière, séparés — ou reliés — par une cour intérieure. Les façades se caractérisaient par des éléments de style renaissance hollandais. Au début, le faîte des toitures était orienté perpendiculairement à la rue, dans le sens de la profondeur des maisons, sur le modèle hollandais. On construisait même des cheminées, fussent-elles fausses ! Peu à peu, dans le courant du XVIIe siècle, on modifia le plan des maisons de sorte que le faîte des toitures fût orienté parallèlement à la rue afin d'offrir une meilleure protection contre les rayons du soleil tropical. Cette modification et l'ajout de grands volets sont typiques des divers aspects de la culture matérielle indo-néerlandaise. On peut ainsi dire qu'au XVIIe siècle les bâtisseurs s'inspiraient de l'architecture et du style néerlandais en les adaptant aux conditions climatiques. Il est probable qu'il en était de même pour les intérieurs des demeures, une hypothèse invérifiable dans la mesure où aucun exemple originel n'a été conservé en l'état et où aucune représentation — dessin ou gravure — ne nous est parvenue. Au début du XXᵉ siècle une tentative de reconstitution a été faite dans le Musée historique de Batavia, reconstitution que l'on peut actuellement découvrir dans le Museum Fatahillah situé dans l'ancien hôtel de ville restauré, un cadre historique tout à fait approprié (fig. 1).

Nombreux sont les meubles, en revanche, qui ont résisté à l'usure des siècles. En Indonésie on les a conservés tels qu'ils ont été découverts dans les *kampung* — ou quartiers populaires de Batavia — à la fin du XIXᵉ siècle par les premiers amateurs de mobilier colonial³. Aux Pays-Bas on trouve des meubles dans les musées et chez quelques descendants de hauts fonctionnaires de la Compagnie ou amateurs avertis⁴.

Les meubles indo-néerlandais du XVIIᵉ siècle et du début du XVIIIᵉ sont pour la plupart en ébène provenant de l'île Maurice, de la côte de Coromandel, de Ceylan et des Moluques. L'exacte localisation des centres de fabrication fait encore l'objet de discussions⁵. Des témoins de l'époque rapportent que des artisans locaux travaillent sur la côte de Coromandel, à Ceylan, à Batavia et dans les Moluques⁶. Assurément on dénote des différences régionales dans la technique et le style décoratif. À Ceylan et sur la côte de Coromandel, par exemple, la tradition voulait que l'on utilisât des incrustations d'ivoire pour les meubles et que les décorations sculptées des dossiers des chaises et des canapés fussent souvent ajourées. Les sièges et les lits que l'on considère originaires de Java et des Moluques n'ont qu'une décoration en relief. On peut également distinguer des différences dans la précision d'exécution des motifs décoratifs. Les ciselures en relief sur les chaises et les cabinets provenant de Ceylan sont souvent très détaillées et ne manquent pas de rappeler le filigrane [cat. 87]. Les décorations des meubles fabriqués en Indonésie sont plus vigoureuses. Par ailleurs, les meubles provenant de la côte de Coromandel et de Ceylan sont parfois décorés de représentations anthropomorphes tandis que ceux fabriqués en Indonésie s'ornent en général de motifs floraux [cat. 52].

[cat. 87] Ceylan, cabinet miniature, seconde moitié du XVIIᵉ siècle. La Haye, collection Jan Veenendaal.

[cat. 52] Côte de Coromandel, cabinet miniature, milieu du XVIIᵉ siècle. Amsterdam, Rijksmuseum.

Il est cependant quasiment impossible de se fier uniquement aux différences régionales étant donné que beaucoup d'artisans originaires de la côte de Coromandel et de Ceylan ont été emmenés comme esclaves à Batavia. Là ils étaient contraints de travailler dans les ateliers que la Compagnie avait établis dans le quartier des artisans, l'*ambachtskwartier*, souvent sous la supervision d'ébénistes venus des Pays-Bas. Et si on songe que la population de Batavia était à l'époque en majorité chinoise on ne sera pas étonné de trouver nombre d'artisans chinois employés par la Compagnie. Joan Nieuhof (1618-1672) nous a laissé un récit de ses séjours à Batavia, notamment de celui qu'il fit entre 1667 et 1670. Il vécut alors dans le quartier des artisans dont il décrit les différents corps de métier⁷. Il fut particulièrement fasciné par le travail des ébénistes chinois qui, précise-t-il, mettaient beaucoup de soin à assembler leurs meubles avec des tenons taillés en forme de queue d'aronde⁸. Pieter Van Dam, avocat au service de la Compagnie au début du XVIIIᵉ siècle, a rédigé un grand traité dans lequel on peut lire que des artisans formés à Batavia ont été envoyés dans divers comptoirs asiatiques⁹. Compte tenu du commerce

[cat. 59] Jan Brandes, *Le Pont d'un navire
de la Compagnie des Indes néerlandaises en route
pour Java*, 1778. Amsterdam, Rijksmuseum.

[cat. 85] Ceylan ou côte de Coromandel,
cabinet miniature, dernier tiers du XVIIᵉ siècle.
Collection particulière.

interasiatique du bois et de la mobilité des artisans, force est de constater à quel point il est malaisé d'établir avec exactitude la provenance des meubles indo-néerlandais. Indépendamment du commerce et de la mobilité des artisans il est un autre facteur non négligeable, celui de la mobilité des employés de la Compagnie. Beaucoup commençaient leur carrière en Inde ou à Ceylan avant de la poursuivre à Batavia. Or, parmi ces employés il s'en trouvait qui emmenaient leurs meubles fabriqués en Inde et à Ceylan vers leur nouvelle destination.

L'inventaire établi à Batavia en 1688 après le décès de Cornelia Teulings, veuve du gouverneur de Banda, Willem Maatsuijker, nous permèt de nous faire une idée du mobilier indo-néerlandais contemporain[10]. On y trouve entre autres des chaises dites « chinoises », des chaises laquées fabriquées à Surate, des cabinets en ébène, des canapés en bois de caliatur — une sorte d'ébène rouge —, des lits dont le bois n'est pas précisé et trois coffres dont un japonais et un autre dit « patriotique », c'est-à-dire d'origine hollandaise. Les chaises inspirées de modèles chinois avaient probablement un dossier dont seule la partie centrale est fermée par un panneau vertical légèrement bombé. Nous ne connaissons ni description ni représentation des premières chaises fabriquées à Surate. On suppose qu'il faut chercher l'origine du prototype des chaises indo-néerlandaises du XVIIᵉ siècle aux Pays-Bas, dans ce style à torsade alors en vogue. Les modèles flamands et hollandais étaient exécutés en bois de noyer ou de chêne tourné et avaient une assise en bois, en cuir ou en velours. En Asie le bois européen était remplacé par l'ébène, tandis que les sièges étaient cannés. Les coffres et les cabinets indo-néerlandais s'inspirent également de prototypes hollandais, le bois étant naturellement différent ainsi que les décorations qui ornent les panneaux des cabinets.

Il existe une sorte de chaise indo-néerlandaise assez commune au XVIIᵉ siècle dont l'origine géographique a fait couler beaucoup d'encre[11] [cat. 59-60]. Fabriqué en ébène, en bois de fer ou en bois de satin, ce modèle est caractérisé par six pieds, un siège arrondi et un dossier en demi-cercle dont les médaillons sont souvent cannés. Il est connu sous diverses appellations : chaise de roi, chaise de maire ou chaise de barbier, mais étant donné que la terminologie date du XXᵉ siècle, on ne peut pas identifier ce meuble étonnant dans les inventaires de l'époque. Il est néanmoins vraisemblable que l'appellation « chaise ronde », que l'on trouve dans des inventaires d'outre-mer, s'applique à la chaise de maire. Elle devait connaître un étonnant succès, et sa popularité s'est prolongée de 1670-1680 jusqu'à la fin du XVIIIᵉ siècle ; ce n'est pas le cas des autres types de chaises du XVIIᵉ siècle qui ont été remplacés par des modèles de style rococo après 1700.

[cat. 86] Ceylan ou Inde du Sud, cabinet miniature, première moitié du XVIIᵉ siècle.
Paris, musée national des Arts asiatiques-Guimet.

À bord des navires qui les emmenaient vers l'Asie ou qui les ramenaient dans leur patrie, les employés de la Compagnie utilisaient des coffres pour transporter leurs effets personnels. Les coffres « patriotiques » embarqués aux Pays-Bas étaient fabriqués en bois européen d'une structure beaucoup moins compacte que celle des bois tropicaux et par conséquent plus facilement attaqués par les insectes. Pour éviter ces inconvénients les nouveaux arrivants, une fois installés en Asie, faisaient donc copier leurs coffres dans des bois tropicaux. Ils s'en servaient ensuite pour ranger leurs vêtements.

Le coffre japonais mentionné dans l'inventaire de Cornelia Teulings était en laque noire et or. Ce genre de meubles ainsi que les petites armoires japonaises sont rarement restés en Indonésie, les employés de la Compagnie préférant emporter avec eux ces objets de luxe — très coûteux — lorsqu'ils rentraient aux Pays-Bas. Les petits cabinets en ébène fabriqués à Ceylan, dont l'intérieur était parfois garni de plaques d'ivoire en relief, étaient également très recherchés [cat. 85-86]. Le « cabinet en ébène placé sur un support » décrit dans l'inventaire de Teulings était peut-être de ce type. On connaît aussi un autre genre de cabinet en bois tropical, d'une forme imitée d'un modèle néerlandais.

Jusqu'à une date avancée du XVIIᵉ siècle on dormait aux Pays-Bas soit dans des lits simples, soit dans une alcôve, soit encore dans des lits à colonnes dont le ciel, tout en bois, était fermé par des courtines. Des balustres ornaient parfois les têtes des lits simples ou à colonnes. Les alcôves et les lits à colonnes, avec leurs lourds rideaux, n'étaient évidemment pas adaptés à la chaleur tropicale ; aussi vit-on apparaître un modèle qui convenait mieux au climat : un lit à colonnes dans lequel les balustres ont été conservés tandis que le ciel en bois et les lourdes courtines ont été remplacés par des voilages en gaze. Toujours dans l'inventaire de Teulings, on trouve la mention de deux lits de ce type.

Dans une lettre qui date de 1689, adressée à sa tante en Hollande, Cornelia Johanna Van Beveren, qui vit à Batavia, donne une description de son lit de noces paré de rideaux en gaze verte décorée de

[cat. 64] Ceylan, berceau, seconde moitié du XVII⁰ siècle. La Haye, Haags Gemeentemuseum.

tournesols[12]. Nous possédons d'autres documents d'époque qui font également mention de rideaux de lit en gaze verte. Cornelia précise que son couvre-lit était brodé de fils d'or. Nous avons ici bien sûr affaire à un lit luxueux dont les rideaux pouvaient être retenus par des embrasses en or et garnies de boules d'argent. Grâce au réseau maritime qu'elle entretenait en Asie, la Compagnie pouvait se procurer les gazes et les mousselines au Bengale et les couvertures brodées dans le Gujarat. Moins coûteuses mais tout aussi séduisantes et appréciées étaient les toiles peintes indiennes, les chintz. Confectionnés pour le marché européen, les chintz décorés de semis de fleurs ou d'un arbre en fleur étaient des couvre-lit très recherchés. Étant donné que les marchandises provenant d'Inde et destinées à l'Europe étaient transbordées à Batavia, les employés de la Compagnie pouvaient se les procurer aisément pour leur usage particulier. La Compagnie passait également commande en Inde de toiles peintes et imprimées aux décors spécifiques pour le marché indonésien[13]. Ces toiles portent souvent le sigle de la Compagnie, VOC, et la lettre « B » pour Batavia.

Les berceaux en ébène faisaient également partie du mobilier des maisons européennes de Batavia. Plusieurs berceaux avec de riches décorations sculptées ont été conservés[14] [cat. 64]. Le style, l'iconographie et les incrustations d'ivoire sont typiques de la production de Ceylan ou de la côte de Coromandel. Leurs décorations sont une véritable synthèse de motifs indiens et européens. Certains d'entre eux présentent un chevet richement sculpté faisant cohabiter des *nagini* ou déesses indiennes des fleuves — l'équivalent des sirènes européennes — et Adam et Ève. De telles rencontres stylistiques, que l'on remarque en particulier dans les motifs floraux, se retrouvent dans les sculptures des meubles, dans les dessins des toiles provenant de la côte de Coromandel, dans l'argenterie ciselée produite à Batavia et sur les pierres tombales d'employés de la Compagnies décédés aux Indes. Elles sont le reflet des échanges entre l'Europe et l'Asie, qui traduisent une véritable coexistence sociale. Une telle attitude d'ouverture créait une atmosphère libérale qui favorisait le goût pour les intérieurs exotiques semblables à ceux des maisons de Batavia. Elle permettait d'apprécier d'autant mieux le mobilier sombre à l'apparence mi-européenne, mi-asiatique, mobilier noir comme l'ébène dont il était fabriqué, une couleur insolite à laquelle on n'était pas habitué en Europe. Comme nous allons le voir, cette attitude caractérisée par une forme de curiosité empreinte de libéralisme va se modifier dans le courant du XVIIIᵉ siècle.

Le XVIIIᵉ siècle

Dans le courant du XVIIIᵉ siècle un changement de décor s'opère, tant sur le plan social que sur le plan matériel. Du point de vue social on assiste à un processus de métissage au sein de familles hollandaises de Batavia. Comme au siècle précédent des fonctionnaires continuaient à s'embarquer pour la « reine de l'Orient », ainsi qu'on qualifiait Batavia, en principe pour une certaine période de leur vie. Ces hommes nés en Hollande épousaient aux Indes, souvent à un âge mûr, des jeunes femmes indo-néerlandaises nées en Asie, dans la plupart des cas les filles de collègues, élevées dans un milieu oriental par des Javanais et des esclaves asiatiques. Les femmes survivaient souvent à leur mari et les riches veuves étaient très demandées à cause de leur opulence matérielle. Les femmes étaient cependant considérées comme des êtres inférieurs par leurs prétendants — et nouveaux maris — venus de Hollande à cause de leur éducation et de leur mode de vie profondément influencés par l'Orient[15]. En dépit du sentiment discriminatoire dont elles faisaient l'objet, ces épouses régnaient pourtant sur la vie domestique et donnaient le ton dans la société. Une aquarelle représentant une réception de mariage dans une riche demeure illustre très bien l'importance de leur rôle. Cette scène est ambivalente du fait de la mixtion d'éléments européens et asiatiques tant dans l'ameublement que dans

3. Java, miroir avec son cadre, vers 1760-1780. Teck sculpté et doré, 210 x 100. Amsterdam, Rijksmuseum (prêt du Tropenmuseum).

2. Jan Brandes, *Réception de mariage à Batavia*, vers 1779-1785. Aquarelle, 20,1 x 33. Amsterdam, Rijksmuseum.

les costumes. Nous ignorons l'identité de l'hôtesse et de ses invités mais peut-être pourrait-on se plaire à l'idée de la trouver parmi les membres des familles des gouverneurs généraux du XVIIIᵉ siècle : les Valckenier, Van Imhoff, Mossel, Van der Parra et De Klerk pour ne citer que les plus fortunés.

Le gouverneur général Adriaen Valckenier — en poste de 1737 à 1741 — habitait dans le château de Batavia dont l'architecture extérieure datait du XVIIᵉ siècle. L'intérieur, en revanche, la grande salle de réception en particulier, était meublé selon la mode contemporaine en Europe (fig. 2-3). Certains éléments étaient cependant orientaux comme les grands lustres à bougies, connus sous le nom de « lustres de Palembang ». Valckenier et autres personnages puissants et fortunés se faisaient construire de grands hôtels particuliers à Batavia et des résidences à la campagne. Les façades étroites des maisons du XVIIᵉ siècle avaient laissé la place à celles, plus larges, des hôtels, telle celle d'une des résidences de Reinier De Klerk. Cette vaste demeure est une des rares maisons qui aient été conservées jusqu'à nos jours à Jakarta[16]. De Klerk l'avait fait construire vers 1760, bien avant qu'il ne devienne gouverneur général (1777-1780). L'architecture des maisons de campagne — avec leurs larges toitures pyramidales soutenues par des colonnes, qui se prolongeaient au-delà des murs formant ainsi une galerie ombragée sur le pourtour de la maison — était profondément influencée par celle des résidences princières javanaises.

Contrairement à l'architecture parfois mixte, l'aménagement était en général européen, allant jusqu'à l'outrance — quand bien même les styles régence et rococo nous semblent extravagants comparés aux styles renaissance et baroque, plus rigoureux. Le régence et le rococo, avec leurs volutes et leurs couleurs, s'accordaient avec une société frivole qui aimait se distraire avec une ostentation presque orientale. À Batavia on aimait beaucoup les couleurs contrastées, tels le rouge et l'or, couleurs véritablement chinoises qui remplaçaient les tons pastel du rococo le plus souvent utilisés en Europe. La prédominance des ors et des teintes rouges s'explique par la présence de nombreux ébénistes et artisans chinois. Tant à l'intérieur qu'à l'extérieur de la maison de De Klerk quelques boiseries peintes en rouge et or ont été préservées sur les impostes, l'escalier et la décoration sculptée. Dans les inventaires on touve également la preuve de ce goût pour les couleurs vives, en particulier pour le rouge chinois [cat. 46]. L'inventaire du mobilier du gouverneur général Gustaaf Van Imhoff, en poste de 1743 à 1750, établi après son décès survenu à Batavia, en est un exemple[17]. Van Imhoff habitait dans le château mais aussi dans plusieurs résidences qu'il possédait en ville et à l'extérieur de Batavia. Notons que c'est à lui qu'incombe le choix de l'emplacement de Bogor, situé à une cinquantaine de kilomètres au sud de Jakarta, pour s'y faire construire la vaste demeure de Buitenzorg (Sans-Souci), qui deviendra à partir du début du XIXᵉ siècle, agrandie et transformée, résidence des gouverneurs généraux. Le contenu de l'inventaire des biens qui se trouvaient au château de Batavia nous éclaire sur le luxe de l'ameublement. On y trouve des meubles en bois d'Amboine, des « chaises rondes », des chaises et des canapés vernis, des chaises chinoises, des tables avec un plateau en marbre et des tables à jeu, des horloges de parquet, une petite armoire anglaise et une autre en laque japonaise, un clavecin, des miroirs vernis rouge décrits comme étant chinois, des miroirs dorés et des lustres en verre[18]. Détail remarquable, on y trouve également du cuir doré — vingt et un panneaux et sept rouleaux —, de toute évidence destiné à tapisser les murs comme on le faisait aux Pays-Bas. Les courtines des lits étaient en gaze verte et un certain nombre de rideaux de fenêtres en damas bleu. Un coffre contenait les courtines d'un lit nuptial en soie moirée avec des passements en dentelle dorée et des rideaux en velours doublés de lin blanc. Outre les tissus d'origine européenne comme le velours et le lin on trouve également des étoffes provenant de l'Inde, tels des

[cat. 46] Goa ou Batavia (?), lanterne d'apparat, fin du XVIIIᵉ siècle. Saint-Louis, musée des Arts décoratifs de l'océan Indien.

soieries et des chintz [cat. 44], du lin de Chine et des tissus et vêtements confectionnés à Java, peut-être en batik. Les vêtements appartenaient probablement à Helena Pieters, la concubine de Van Imhoff, originaire des Célèbes (Sulawesi).

Les maisons de Van Imhoff, en ville et à la campagne, étaient meublées dans le même goût dicté par la culture néerlandaise et influencé par la culture métisse[19]. Des nattes en jonc recouvraient les planchers des maisons de campagne. Dans la résidence de Buitenzorg, qui était encore relativement peu meublée, se trouvaient notamment un lit garni de rideaux chinois — probablement en soie brodée, aussi à la mode en Hollande à l'époque —, dix-sept chaises javanaises et des tissus fabriqués à Java. Alors qu'un caractère formel, très européen, régissait l'organisation et l'ameublement des maisons de Batavia, on peut supposer qu'il en était autrement dans les maisons de campagne, où l'assimilation de ces deux cultures était plus visible.

L'inventaire des biens de Sophia Francina Westpalm, veuve du gouverneur général De Klerk, décédée en 1785 à Batavia, témoigne de l'opulence des époux[20]. On y trouve des meubles avec des ferrures en argent, des cabinets laqués, des tables au plateau en marbre avec des pieds sculptés et parfois dorés, des cabinets aux portes vitrées, en somme des meubles caractéristiques du XVIIIᵉ siècle, non plus fabriqués en ébène mais dans des bois plus clairs comme le bois d'Amboine et le noyer, parfois vernis rouge et or. On y trouve également des meubles anglais dont on peut se demander s'il s'agissait de véritables importations d'Europe ou de copies réalisées en Asie d'après des modèles européens. À côté des meubles de style européen fabriqués en Orient, donc d'une nature hybride, les De Klerk possédaient des horloges frisonnes qui garantissaient en quelque sorte l'identité néerlandaise de la famille.

La résidence secondaire que Petrus Van der Parra, gouverneur général de 1761 à 1775, s'était fait construire dans les environs de Batavia, était un exemple du style rococo oriental. Elle consistait en un corps de logis à la toiture très élevée, flanqué de deux ailes avec des pignons et une toiture décorée des aigles de ses armoiries représentés tels des oiseaux exotiques. Van der Parra était né à Ceylan et s'était marié deux fois à Batavia. Son train de vie ressemblait plus à celui d'un noble javanais qu'à celui d'un dignitaire de la haute société néerlandaise.

Le prédécesseur de Van der Parra, Jacob Mossel, fut gouverneur général de 1750 à 1761. Le palais qu'il fit construire sur le domaine de Weltevreden situé au sud de Batavia, l'actuel quartier de la place Merdeka à Jakarta, était alors le plus somptueux jamais construit aux Indes néerlandaises[21]. Ses enfants firent tous d'excellents mariages. Sa fille cadette épousa en 1757, à l'âge de quinze ans, Pieter Cornelis Hasselaer, alors résident de Cirebon et futur maire d'Amsterdam. Le mariage, célébré à Batavia, fut splendide[22]. Après le banquet les jeunes mariés furent escortés vers leur chambre nuptiale où un lit d'apparat, placé sur une estrade couverte d'un tapis, les attendait. Le couvre-lit était en soie et en dentelle, les rideaux en velours brodé de fleurs en fils d'or et d'argent ; celui de gauche était en outre brodé en fils de soie à l'effigie de la mariée et celui de droite, à celle du marié. Hasselaer survécut à son épouse et rentra aux Pays-Bas en 1783. La vente mobilière qui eut lieu après son décès en 1797 à Amsterdam fut impressionnante[23]. Le catalogue de vente annonce un « grand nombre d'objets précieux de l'Orient », à l'évidence acquis durant son séjour à Java : des porcelaines et de la soie de Chine, des toiles peintes de Surate, des paravents et autres meubles laqués du Japon et de Chine, des cabinets et des commodes en bois d'Amboine et autres bois exotiques.

4. Ceylan, écritoire,
vers 1750-1760.
Ébène, incrustations
d'ivoire et armoiries
de la famille Mossel.
Renswoude, château.

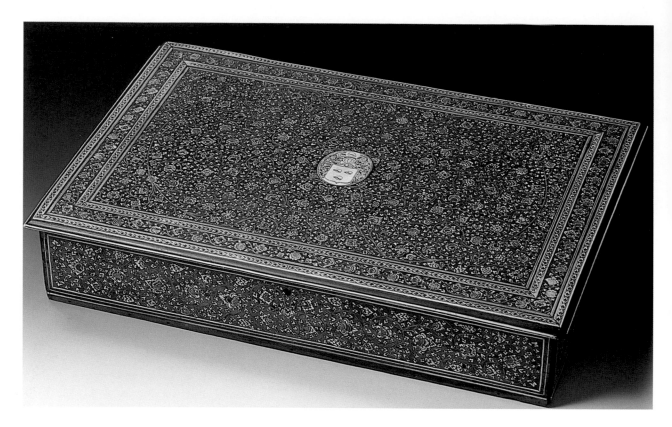

[cat. 59] Jan
Brandes, *Jantje et la
petite esclave Bitja dans
la chambre à coucher*,
vers 1784-1785.
Amsterdam,
Rijksmuseum.

Une autre fille de Mossel, Catharina Johanna, était mariée au gentilhomme Gerard Maximiliaan Taets Van Amerongen, seigneur de Renswoude, terre située dans la province d'Utrecht[24]. Des meubles, actuellement conservés au château de Renswoude, proviennent manifestement du patrimoine des époux. Il y figure notamment une écritoire en ébène incrusté d'ivoire avec les armoiries de la famille Mossel : trois moules (fig. 4).

Les maisons et les intérieurs des Valckenier, Van Imhoff, Van der Parra, De Klerk et Mossel, familles qui tenaient le haut du pavé, étaient les plus prestigieux à Batavia. Les inventaires de leurs biens font état des richesses accumulées. Plus modeste était l'intérieur de Jan Brandes (1743-1808), dont l'inventaire nous transporte dans l'univers d'un simple bourgeois de Batavia où il vécut de 1779 à 1785. Pasteur au service de la Compagnie, homme curieux et érudit, veuf, Brandes dessinait et peignait à l'aquarelle pour son plaisir. Quelle documentation précieuse que ses dessins qui représentent des scènes de l'intimité familiale ! Sur l'un d'eux on voit Jantje, le fils de Brandes, assis sur le plancher de la chambre à coucher, un abécédaire devant lui ; à côté de lui, un peu en retrait, est assise la petite esclave Bidja, sa compagne de jeu [cat. 59]. L'horloge, d'un modèle néerlandais dont on trouve la description dans plusieurs inventaires établis à Batavia au XVIIIe siècle, est posée sur des pieds assez hauts, sans doute pour la protéger des termites. Excepté la couleur qui est rouge au lieu de noire, le lit est presque identique aux lits du XVIIe siècle. Le matelas est visible ainsi que deux tissus blanc et rouge et un drap blanc uni. Les rideaux de gaze blanche sont retenus par des embrasses ouvragées.

Les intérieurs comme ceux que l'on voit sur les aquarelles de Brandes ou que l'on peut imaginer en parcourant les inventaires disparurent peu à peu des maisons européennes de Batavia. À moins qu'ils n'aient été emportés en Europe, beaucoup de meubles bannis des belles demeures finirent par être transportés dans des quartiers populaires. Une nouvelle de Maria Dermoût (1888-1962), un des écrivains indo-néerlandais les plus talentueux de notre siècle, illustre parfaitement le destin de ces meubles indo-européens, absorbés en quelque sorte par la société indonésienne. Dermoût retrace l'histoire d'un magnifique ameublement en bois d'Amboine qu'un gouverneur général, vivant au XVIIIᵉ siècle, avait tout spécialement fait fabriquer. Après la mort du gouverneur les meubles entrèrent en possession de sa concubine javanaise. Bien longtemps après, au XXᵉ siècle, l'ameublement presque complet fut « redécouvert » par un jeune Hollandais chez un marchand du vieux Batavia[25]. Partant d'une anecdote fictive, l'auteur de ce conte proche de la réalité en arrive, au fil de sa narration, à exprimer le fin mot de l'histoire : celle du mobilier des XVIIᵉ et XVIIIᵉ siècles, tombé en désuétude avant d'être, de nombreuses générations plus tard, de nouveau apprécié. Ainsi en va-t-il des styles et des modes.

Ebeltje Hartkamp-Jonxis,
qui remercie Marie-Odette Scalliet pour ses conseils pertinents et son travail de rédaction

9. Embrasse. Argent, 24. Amsterdam, Rijksmuseum.

NOTES

1. Gaastra, 1991, p. 81-88.

2. Dans cet article, je me concentre plus particulièrement sur les meubles et les étoffes mentionnés dans les inventaires des hauts fonctionnaires de la Compagnie sans m'attarder davantage sur les tableaux, l'argenterie, l'orfèvrerie et autres objets précieux tels que les porcelaines et les curiosités.

3. Un des premiers collectionneurs à Java a écrit un article sur le sujet, cf. B. J. Oosterhof, « Iets over Oud-Indische meubelen », in *Elzeviers Geïllustreerd Maandblad XVI*, 1898, p. 318-338.

4. Les collections muséales les plus importantes sont celles du Rijksmuseum et du Tropenmuseum à Amsterdam, du Rijksmuseum voor Volkenkunde à Leyde, du Gemeentemuseum à La Haye et du Museum Boymans Van Beuningen à Rotterdam. Quelques pièces remarquables se trouvent à la Fondation Hannema de Stuers à Heino, au Volkenkundig Museum Nusantara à Delft et au Westfries Museum à Hoorn.

5. De Haan, 1922, II, p. 83-118 ; Van de Wall, 1939 ; Terwen-de Loos, 1985 ; Veenendaal, 1985.

6. Rumphius, 1743, III, p. 4 ; F. Valentijn, *Oud en Nieuw Oost-Indiën [...]*, 1726, V, p. 52 (notons que Valentijn connaissait le manuscrit de Rumphius [1627-1702] longtemps avant sa publication).

7. Nieuhof, 1682, II, p. 205.

8. *Ibid.*, p. 217.

9. Van Dam (F. Stapel, réd.), 1943, p. 201 (*Rijks Geschiedkundige Publicatiën [RPG]*, grote serie, 87).

10. L'inventaire de Cornelia est conservé à l'Arsip Nasional de Jakarta ; la liste des meubles est publiée dans Veenendaal, 1985, p. 150.

11. Pour un développement plus large, cf. l'hypothèse de T. N. Tchakaloff, in *Chroniques indiennes* ; cf. l'étude sur le mobilier en Inde ancienne de A.-M. Loth, in *ibid.*

12. Lubberhuizen-Van Gelder, « Een Indisch ebbenhouten ledikant », in *Cultureel Indië*, 1941, 3, p. 119.

13. J. S. Guy, « Commerce, Power and Mythology : Indian Textiles in Indonesia », in *Indonesia Circle*, 1987, 42, p. 55-75 ; E. Hartkamp-Jonxis, « Indian Export Chintzes », in K. Riboud (réd.), *In Quest of Themes and Skils : Asian Textiles*, Bombay, 1989, p. 80-91 ; Hartkamp-Jonxis, « Sitsen voor Indonesië », in *Antiek*, 1990, 24, n° 9, p. 502-508.

14. Des exemplaires ressemblants se trouvent au Rijksmuseum d'Amsterdam, au Gemeentemuseum de La Haye, au Victoria and Albert Museum de Londres et dans la collection du duc de Buccleuch (Grande-Bretagne). Un autre berceau se trouvait au Schlossmuseum de Berlin avant la Seconde Guerre mondiale. À propos du berceau du Rijksmuseum, cf. J. Terwen-de Loos, « Een Ceylonese wieg », in *Bulletin van het Rijksmuseum*, 1967, p. 122-130. Un exemplaire du même modèle se trouve au Museum Fatahillah à Jakarta.

15. Taylor, 1983, p. 171-172.

16. La maison de De Klerk fut construite le long du canal de Molenvliet (l'actuelle Jalan Gajah Mada) situé entre la vieille ville et le quartier de Weltevreden. Depuis le début du siècle, jusqu'à récemment, elle a abrité les Archives nationales d'Indonésie. À propos de son histoire, cf. Van de Wall, 1943, 1, p. 79-113.

17. *Rijksarchief in Noord-Brabant*, Bois-le-Duc, archives du domaine de Nassau, n° 894 B (inventaire établi le 9 novembre 1750) ; cf. H. Dibbits, *Als men sooverre van den anderen is [...] Het maatschappelijk vermogen van Gustaaf Willem baron Van Imhof (1705-1750), gouverneur-generaal van de VOC (1743-1750)*, université d'Amsterdam, 1989 (mémoire de maîtrise).

18. Des renvois dans la marge de l'inventaire des biens de Van Imhoff nous apprennent qu'en réalité un certain nombre des meubles répertoriés ne lui appartenaient pas en propre mais qu'ils étaient propriété du gouvernement.

19. Dibbits, *op. cit.*, p. 81.

20. Inventaire des biens de S. F. Westpalm, établi en 1786, conservé à l'Arsip Nasional de Jakarta (Notariat n° 5613) ; cf. Veenendaal, *op. cit.*, p. 165-170.

21. Johannes Rach (1720-1783) a dessiné nombre de grandes maisons de Batavia et de ses environs, notamment le palais de Weltevreden ; cf. De Loos-Haaxman, 1928, p. 97 (repr.).

22. Van de Wall, 1932, p. 41.

23. Vente à Amsterdam, 28 novembre 1797 et jours suivants, courtage Posthumus et Haverkorn ; cf. Lugt, 1938, 1, n° 5672.

24. Cf. note 22.

25. M. Dermoût, « Het ameublement van de Gouverneur-Generaal », in *De sirenen*, 1963 (*Verzameld werk*, Amsterdam, 1974, p. 497-535).

DE QUELQUES ASPECTS DES INTÉRIEURS DOMESTIQUES ANGLO-INDIENS DE 1750 À 1830

Depuis quelques années, on assiste à un regain d'intérêt pour le passé colonial britannique. L'attention s'est ainsi portée sur divers domaines de cette culture matérielle comme les *Company School*, l'argenterie ou le mobilier, pour ne citer que les plus connus.

De nombreuses études ont abordé l'architecture domestique en Inde, en s'intéressant aux sources occidentales qui l'ont inspirée. Peu d'entre elles se sont cependant attachées à l'aspect intérieur et au décor de ces aménagements. La réflexion proposée ici aborde un aspect différent et s'attachera à analyser le décorum de ces intérieurs afin de mettre en exergue quelques-unes de leurs caractéristiques qui nous paraissent essentielles car elles participent pleinement à leur atmosphère si particulière. Nous verrons d'abord comment l'architecture a dû s'adapter à ces contrées, avant de jeter un regard plus détaillé sur les traitements apportés aux façades intérieures ; enfin nous dépeindrons les singularités propres à l'aménagement et au mobilier.

Une architecture adaptée

Avant d'aborder ces intérieurs, il est nécessaire d'avoir à l'esprit que l'essentiel du territoire indien se trouve dans des régions tropicales dont le climat est soumis au régime de la mousson. Si l'alternance des saisons sèche et humide constitue une contrainte naturelle très forte, elle se combine en outre avec la diversité des milieux naturels pour créer autant de grands domaines climatiques. Ceux-ci s'imposent toujours brutalement aux nouveaux arrivés dans le pays avec leur cortège de fluctuations.

Dans ce contexte étranger, parfois ressenti comme hostile par les Européens, les architectes et les ingénieurs n'ont cessé de chercher et d'adopter, si ce n'est d'inventer, des solutions astucieuses pour atténuer les durs effets de ce climat pesant. En un mot, la recherche d'un confort optimal fut l'objet de toute leur attention et leur préoccupation majeure, qu'il s'agisse du simple bungalow ou de la grande demeure urbaine à étages.

En premier lieu, il convient de comprendre comment l'enveloppe architecturale s'est modifiée et adaptée, ceci en dehors des différentes modes qui trouveront, dans les modénatures des façades, un terrain fécond où elles s'exprimeront avec maestria. Le modèle des maisons, pour ce qui est du style et de l'organisation des espaces, demeura très proche des références britanniques tout au long du XVIIIᵉ siècle. On continua donc à construire des demeures à étages, le rez-de-chaussée étant réservé aux espaces domestiques et utilitaires. Les pièces de réception se situaient au premier, l'étage noble par tradition, les autres pièces et les appartements dans les étages supérieurs. La multiplication des ouvertures, portes et fenêtres, se révéla rapidement indispensable afin d'assurer une ventilation convenable.

Pendant les dernières années du siècle, de profondes modifications intervinrent dans l'habitat, avec l'apparition du bungalow, habitation à rez-de-chaussée, imité des huttes traditionnelles du Bengale. Certes les deux types d'édifices perdurèrent ; les bungalows furent cependant plus répandus à la campagne alors que les maisons urbaines tendirent à conserver des étages. Ils avaient en commun la véranda dont l'avantage était double : procurer de l'ombre en maintenant une fraîcheur relative dans les pièces ; offrir, pendant la saison des pluies et des fortes chaleurs, un espace de vie extérieur abrité[1].

[cat. 89] Anonyme, *Lady Impey choisissant un chapeau*, (détail), 1777-1783. Oxford, collection famille Impey.

[cat. 89] Anonyme,
*Lady Impey choisissant
un chapeau*,
1777-1783.
Oxford, collection
famille Impey.

Toutefois, la modification d'échelle des maisons constitue l'aspect le plus important de tous ces changements. Afin de faciliter un meilleur confort thermique et une circulation de l'air plus aisée, les proportions des pièces s'amplifièrent. C'est ainsi qu'il n'était pas rare de trouver des plafonds dont la hauteur pouvait être comprise entre 5,50 et 7,60 mètres. L'épouse de Reginald Hebernote, évêque de Calcutta de 1822 à 1828, dépeignait les pièces de sa demeure « plus hautes que tout ce que l'on pouvait imaginer[2] ».

Les façades étaient conçues avec de nombreux percements, souvent de grandes dimensions. À l'origine les fenêtres étaient simplement équipées de cadres tressés en jonc ou en rotin, parfois encore de persiennes appelées *jhimils* dont le système constructif, tout en laissant passer l'air, servait d'écran à la luminosité excessive de l'extérieur.

À Bombay, pour remplacer le verre, les premiers colons utilisaient parfois des coquilles d'huîtres, innovation indienne déjà adoptée par les Portugais en leur temps[3]. On clouait aussi une toile cirée devant les fenêtres. Dès le XVIIe siècle, l'Inde connaissait pourtant les vitres en verre vénitien mais leur prix demeurait inabordable[4]. La fragilité inhérente à la matière et les conditions délicates de son acheminement, au temps de la navigation à voile, expliquent que ce produit soit demeuré synonyme de grand luxe. En dépit du développement du commerce privé, qui permit dès le milieu du XVIIIe siècle l'introduction de grandes quantités de vitres en provenance de Grande-Bretagne, on constate, au milieu du XIXe siècle, que l'usage de vitres, même au sein de la haute société, n'était pas commun[5]. On se rend vite compte que les fenêtres vitrées n'étaient d'aucune utilité pour combattre la chaleur, bien au contraire. C'est la raison pour laquelle on les doubla généralement par des jalousies. Ceci permet de mieux comprendre leur ouverture vers l'intérieur.

De même l'usage des rideaux resta limité car, non seulement, une fois tirés, ils empêchaient l'air d'entrer mais ils pouvaient aussi servir de nid aux scorpions et aux lézards ou encore abriter des cohortes de moustiques, dont la présence représentait un danger permanent[6]. On remédiait parfois au désagrément causé par ce dénuement en installant des cantonnières ou des draperies dont l'effet décoratif était recherché. Mais ceci était d'autant moins fréquent que l'art des rideaux était inconnu des artisans indiens[7] [cat. 89].

À la saison chaude, il n'était pas rare d'accrocher des linges humides — plus tard des nattes ou *khuss-khuss* — aux portes, aux fenêtres et devant les galeries, afin de rendre plus supportable l'intérieur et de se prémunir contre la poussière. Ces nattes étaient tissées sur un cadre de bambou fendu, à partir des racines d'une graminée à longue tige. Tout en rafraîchissant l'air ambiant, elles dégageaient une odeur suave. Cette pratique utilisée depuis des lustres par les indigènes fut adoptée par les résidents à la fin du XVIIIᵉ siècle. Par la suite, on améliora le système en disposant devant les nattes une grande roue munie d'éventails, actionnée en permanence par des domestiques.

Cette obsession de la ventilation imposait l'ouverture permanente des portes intérieures, ce qui posait d'autres difficultés. Pour les habitants aux yeux desquels le confort se définissait non seulement par l'aménagement de la maison mais aussi l'intimité qui y régnait, on perçoit le désarroi qui pouvait en

I. Johan Zoffany, *Le Colonel Antoine Polier avec ses amis Claude Martin, John Wombwell et l'artiste*, vers 1786. Huile sur toile. Calcutta, Victoria Memorial.

résulter. Lady Gwillin s'en plaignit amèrement dans une lettre adressée à sa mère en 1801 : « Je n'écris jamais deux lignes sans être interrompue. Toutes nos pièces ici sont ouvertes, et de grandes portes à deux battants sont grandes ouvertes ; c'est vivre en public. On peut à juste titre appeler les maisons des maisons jardins, elles sont comme de belles résidences d'été dans des parcs d'agrément anglais mais avec un plus grand nombre de pièces, tout le monde entre et se présente devant vous[8]. » Dans les demeures les plus somptueuses on utilisait des portes panneautées en bois mais, le plus souvent, on préférait installer des *chicks* — genre de stores faits de bambou ou d'herbes — ou des *purdhas*, grandes bandes de tissu semblables à celles qu'on peut voir dans la maison du colonel Pollier à Lucknow (fig. 1).

En somme, ces espaces étaient vraiment perçus et ressentis par les colons comme différents de ceux qu'ils venaient de quitter ; ne retrouvant pas les mêmes repères, ni, surtout, la même intimité, il leur était difficile d'y recréer le même décorum. Il existait une réelle ambivalence entre l'extérieur et l'intérieur de ces maisons et la majorité des observateurs s'accordait à trouver ces espaces fort peu aménageables au regard des normes et des habitudes européennes[9].

[cat. 90] Anonyme,
La Nurserie Impey,
1777-1783.
Oxford, collection
famille Impey.

Le cadre intérieur et le décorum

Le traitement des plafonds était très réduit. Il n'y avait ni enduit de plâtre, ni décoration rapportée. On voyait là un moyen efficace de prévention contre les rats, les serpents, les termites et autres insectes qui pullulent en zone tropicale. On préféra donc laisser les poutres apparentes, un peu comme dans une grange, selon une comparaison souvent utilisée à la fin du XVIIIe siècle[10]. Les poutres étaient parfois peintes à la chaux, ce qui conférait à ces plafonds une grande rusticité. On chercha à les dissimuler derrière un tissu de coton blanc grossier (ou un tissu fantaisie) tendu aux quatre coins de la pièce ; ce textile était appelé *guzzy* ou *chandny*[11]. Remarquons que cet usage fut importé depuis la Grande-Bretagne. On accrochait parfois des volants aux extrémités de ces tissus afin d'avoir l'illusion d'une corniche[12]. Bien sûr, il y eut des solutions plus sophistiquées comme pour le plafond du hall de marbre de la résidence du gouverneur à Calcutta, qui fut tendu de tissu représentant des scènes empruntées au répertoire néo-classique alors à la mode[13]. Mais il s'agit de cas isolés et force est de constater que les traitements décoratifs réservés aux plafonds demeurèrent d'une grande simplicité. Ils étaient à l'opposé des solutions ornementales, voire ostentatoires, adoptées pour la décoration de ces mêmes surfaces dans les riches résidences de la mère patrie.

Le climat bengali ne favorisait pas non plus la réalisation de planchers qui se déformaient sous l'effet des variations de température et d'humidité, sans omettre les effets destructeurs des termites. L'utilisation de plancher demeura plutôt rare, également en raison de la cherté du matériau. Autre inconvénient sur lequel il convient d'insister : l'aspect sonore, particulièrement dans les riches demeures où officiait une armada de serviteurs zélés. Selon les coutumes locales, les sols étaient recouverts de bouse cuite au four ou de boue crue simplement séchée ou *chunam*. Parfois, preuve d'un certain souci de raffinement, on moulait cette matière et on la teintait dans la masse pour obtenir des carreaux que l'on disposait, par la suite, en damier noir et blanc, à l'imitation du marbre[14].

La plupart du temps, ces sols étaient recouverts de nattes de couleur jaune paille. Ces dernières pouvaient être unies ou avec des motifs à carreaux ou encore à rayures de couleurs contrastées, parfois rouges ou bien noires, comme on peut le voir dans la nurserie des Impey [cat. 90]. Peu chères, disponibles dans de multiples dimensions, elles dégageaient une bonne odeur, étaient fraîches et faciles à nettoyer. On peut supposer qu'elles remplaçaient avantageusement les *listed carpets* utilisés couramment dès le milieu du XVIIIe siècle pour recouvrir les sols en Grande-Bretagne où, selon Isaac Ware, dès 1750, dans les meilleures maisons on ne décorait plus les sols, ayant pris l'habitude de les recouvrir entièrement par des « moquettes ». Wilton était un centre

2. Charles d'Oyly,
*Le Salon du bungalow
de Charles d'Oyly avec ses
meubles d'été*, 1824.
Gouache sur papier,
18 x 34,4.
New Haven, Yale
Center for British Art
(Paul Mellon
Collection).

3. Charles d'Oyly,
*Le Salon du bungalow
de Charles d'Oyly avec
ses meubles d'été*, 1824.
Gouache sur papier,
19,6 x 43,2.
New Haven, Yale
Center for British Art
(Paul Mellon
Collection).

réputé où l'on fabriquait ces lés de velours de laine qui furent exportés jusqu'à Calcutta et Madras[15]. Moins noble et plus courante, la *scotch carpet*, était un tapis sans velours, plus particulièrement confectionné à Édimbourg, Hawick et Kidderminster. Plus fréquents encore, les populaires *listed carpets*, dont les qualités et la beauté firent qu'on les retrouva jusque dans les maisons élégantes[16].

À cause de la chaleur l'emploi des tapis n'était guère courant sur la côte ou dans les plaines. Ils étaient surtout utilisés pendant la saison fraîche et essentiellement dans les maisons les plus somptueuses du Nord de l'Inde ou dans les résidences secondaires. Ils provenaient essentiellement des centres de tissage locaux d'Ellora, de Mirzapur, de Warrangal ou de Masulipatnam[17]. Les aquarelles dépeignant la demeure de Charles d'Oyly à Patna montrent que lorsque le temps le permettait, les nattes de jonc étaient recouvertes de tapis en velours (fig. 2-3). Les tapis ont toujours été des produits très prisés et de grand prix, réservés aux gens les plus fortunés. Les journaux et les gazettes de la fin du XVIIIe siècle mentionnent souvent des annonces de vente de tapis, où les modèles de Perse et d'Europe semblent avoir été les plus recherchés[18]. À partir des années 1820, face à l'intérêt qu'ils suscitaient et à la demande croissante, les tisserands locaux se mirent à imiter les motifs de ces tapis sur des carpettes ou des indiennes. Celles-ci étaient beaucoup plus abordables et égayaient le sol monotone des demeures. La fortune que devait connaître le *satringe*, petit tapis de coton léger, bon marché, est révélatrice de cet engouement (fig. 4). Il servait ordinairement de natte sur laquelle les Indiens s'étendaient. Détourné de son usage originel, il fut ainsi utilisé par toutes les classes sociales confondues[19].

Les peaux de tigre, comme on en voit dans le salon d'Oyly, n'étaient pas rares mais on ne les utilisait pas d'ordinaire sous un narguilé. On glissait souvent sous les paillasses, tapis et carpettes un *sallam*, tissu teint avec de l'indigo, censé repousser les insectes[20].

Selon les concepts de l'époque, les plafonds et les murs étaient conçus comme un tout. En général, en Inde, ces derniers étaient simplement enduits à partir de boue apprêtée puis cirés ou teints afin d'atténuer la réverbération de la lumière. Ils présentaient un aspect nu car on ne les lambrissait jamais, ce qui renforçait la sensation de vide dans les pièces (fig. 5). Pour y remédier on travaillait parfois ces enduits en panneaux ou on décorait les murs avec des imitations de lambris, de plinthes ou de frises de couleurs contrastées. Dans les résidences plus grandes, cela pouvait aller jusqu'à imiter des pilastres ou des frises décoratives. Les effets d'illusionnisme en vogue vers 1800 ne semblent pas avoir connu le même succès en Inde, bien que l'on trouve certaines descriptions intéressantes. Ainsi Emily Eden tenta de rompre la sempiternelle blancheur de ces maisons « en faisant peindre sur ses murs par un artisan indigène une fausse corniche copiée de patrons qu'elle découpait dans du papier[21] ». Il ne s'agit probablement pas d'un cas unique, les décors peints au pochoir en frises continues sont souvent attestés ; nous sommes loin cependant des grands ensembles décoratifs dans le goût grec ou pompéien.

Cette tendance générale en faveur d'une décoration peinte était d'ailleurs devenue en métropole, rappelons-le, le principal mode d'embellissement des intérieurs à partir des années 1780. Si elle ajoutait une note colorée, elle eut pour conséquence de faire disparaître les éléments architecturaux intérieurs. En écho au nouveau goût hellénisant, les murs devinrent plats, sans relief, exception faite des moulures d'appui ou des encadrements de porte. On conçoit sans peine qu'en raison du taux élevé d'humidité les papiers peints, les tapisseries et les tentures ne furent pas la source d'un réel engouement. La mention de « papier peint de la Chine », qui apparaît dans deux inventaires de Madras dans le troisième quart du XVIIIe siècle, ne doit pas nous induire en erreur. Il s'agissait de produits plus spécialement réservés à l'exportation vers l'Europe.

En revanche et même si le climat n'était pas plus favorable à la bonne conservation des peintures sur toile et des gravures, force est de constater que dans de nombreux endroits de tels accrochages embellissaient les murs. Remarquons qu'il était conseillé de les accrocher à distance des murs à cause des termites ou des insectes. Les tableaux tenaient donc une place prépondérante parmi les marchandises importées en Inde. Ils faisaient partie des privilèges du commerce privé, dont jouissaient les membres de la Compagnie et les marins. En 1708, par exemple, William Jennings transportait avec lui vers l'Inde « deux petites caisses de tableaux[22] » et le capitaine Richard Micklefield emporta « deux caisses contenant 20 tableaux[23] » destinés à être revendus à son arrivée. L'essentiel consistait toutefois en gravures représentant les souverains ou des héros militaires glorieux, ainsi que des portraits de famille. Ces gravures et ces tableaux vendus avec leur cadre faisaient l'objet d'annonces spécialisées dans les journaux de la présidence, avec leur titre et parfois leurs dimensions. On y retrouvait toutes les séries alors à la mode en Grande-Bretagne.

Les tableaux de Chine et les miroirs peints étaient aussi très recherchés. Ils représentaient d'ailleurs un important trafic dans le commerce asiatique. L'inventaire des biens de Samuel Greenharigh comprend « 45 tableaux chinois » et celui de John Pattern, quatorze ans plus tard, « 67 miroirs peints[24] ». D'un point de vue purement quantitatif, les tableaux et miniatures à sujets « hindoustanis » et les peintures indiennes sur verre semblent avoir occupé une place secondaire. Les œuvres des artistes en mal d'exotisme ou à la recherche de mécènes, comme Devis, Zoffany, Renaldi, les frères Daniell, ne concernaient que des amateurs fortunés.

4. François Balthazard Solvyns, *Domestique indien* (détail), 1796. Gravure, in *A Collection of Two Hundred and Fifty Coloured Etchings Descriptive of the Manners, Customs and Dresses of the Hindoos.*

5. Arthur William Devis, *Le Juge
Suetonius Grant Heatly avec sa sœur
Temperance*, vers 1783-1789.
Huile sur toile.
Springfield, Museum of Fine Arts
(James Philip Gray Collection).

Autres ornements muraux particulièrement prisés : les miroirs, bien que l'on en trouvât très peu dans les maisons. Comme les vitres, il s'agissait d'objets extrêmement luxueux, particulièrement onéreux en Inde, toujours importés d'Europe. Ils constituaient avec les tableaux l'une des principales marchandises du commerce privé.

Le plus souvent, l'utilisation de nombreuses appliques compensait ce manque d'animation et de décoration sur les murs. Leur quantité s'explique aussi par la nécessité de les accorder aux dimensions des pièces. Les flammes de ces garnitures diverses (bras de lumière ou « lampes murales », bougeoirs, lampes à huile de noix de coco, etc.) devaient être protégées de la brise par des abat-jour en verre car on laissait les portes et fenêtres ouvertes le soir. Parmi tous ces dispositifs, les appliques étaient les plus usitées. Emily Aden y faisait ironiquement allusion, les qualifiant de « grand atout du mobilier indien[25]. » Elles se déclinaient selon des modèles variés, du simple modèle en bois au modèle plus élaboré en verre jusqu'à ceux en cristal gravé, à bras multiples avec leurs supports en bronze ou en argent. Les abat-jour pouvaient être colorés, peints ou gravés et ornés de gouttelettes et autres pendeloques en verre taillé à la dernière mode. Dans la plupart des cas, ces appliques demeuraient les seuls ornements muraux des pièces. Mme Postans racontait : « Il est vrai que les murs nus d'un salon en Inde produisent une impression d'inachevé, les appliques étant un pauvre substitut pour de beaux tableaux ou des miroirs richement encadrés, cependant, si l'on considère le bien-fondé des choses, un étranger reconnaît vite les avantages de murs frais bien tendus de cretonne, qui n'attirent pas la présence nuisible d'insectes répugnants à l'affût de ce qu'ils peuvent dévorer[26]. » L'éclairage était également fourni par des lustres, des lanternes et autres suspensions. À la fin du XVIIIe siècle, la gamme de ce matériel d'éclairage à la mode, directement importé d'Europe, était très vaste, permettant toutes les fantaisies et toutes les combinaisons possibles.

On peut alors imaginer sans effort l'effet éblouissant causé par la multitude de petites flammes, comme on peut facilement se représenter le reflet brillant de celles-ci sur les murs trop nus. Cette ambiance lumineuse semble avoir été l'une des caractéristiques de ces intérieurs. Les témoignages qui nous sont parvenus, soit à travers les correspondances des résidents, soit à travers les récits des voyageurs de passage, sont unanimes sur ce point.

Évidemment la cheminée, élément structurant des pièces en Europe, n'avait guère de chance de se retrouver dans ces intérieurs, hormis dans les résidences de campagne ou de montagne. Mais un élément insolite, voué à une remarquable audience, semble avoir joué ce rôle en Inde. Il s'agit du *punkah*, une sorte d'éventail mobile, apparu vers les années 1780 (fig. 6). La mise au point de cet ingénieux instrument doit beaucoup aux fastes des cours indiennes, où l'emploi des éventails et autres panaches de plumes ou de tissu était courant. Mais des solutions moins fastueuses étaient fort répandues dans toute la société. Cet éventail suspendu était constitué d'une légère armature en bois — parfois sur toute la longueur de la pièce — garnie d'un lambrequin et de franges, d'une forme telle qu'il autorisait l'usage de lustres et de lampes suspendues. Il était relié à une poulie fixée sur le toit et actionnée par un serviteur affecté spécialement à cet usage, le *punkah-wallah*. La corde passait par un trou percé dans le mur afin de préserver une certaine intimité. D'abord réservé à la salle à manger à l'heure des repas, le *punkah* s'avéra rapidement indispensable. On l'utilisait dans toutes les pièces intérieures comme sous les vérandas, à tel point que les maisons étaient la plupart du temps louées avec des *punkah*. Ces derniers bénéficiaient de soins particuliers pour être assortis aux différents décors intérieurs.

L'ameublement : agencement et diversité

Les différences entre les intérieurs des Européens installés aux colonies et ceux de leurs compatriotes restés en Europe étaient particulièrement flagrantes en ce qui concerne le mobilier. Alexander Macrabie écrivait en 1774 dans son journal ce commentaire sur les intérieurs de Madras : « Le mobilier de ces maisons n'est pas d'un style aussi noble. Les rideaux et les tapis sont superflus. Des chaises et des divans, généralement cannés, avec de grandes tables très ordinaires, sont les éléments essentiels dans les pièces de réception, et une chambre ne contient guère plus qu'un cadre de lit, un matelas couvert d'un dessus de calicot et deux oreillers[27]. » Cinquante ans plus tard, Emma Roberts informait ceux qui se rendaient en Inde que « le mobilier absolument nécessaire dans une maison en Inde est dérisoire, comparé à ce qui est indispensable en Angleterre pour qu'un intérieur soit respectable[28]. »

On a probablement trop rapidement voulu expliquer cette sensation de dénuement par le seul critère spatial, la rigueur des contraintes climatiques ou encore les ravages des termites. Plusieurs astuces étaient usitées pour se défendre contre l'invasion des insectes : on plaçait les pieds des cabinets et des lits dans des récipients remplis d'eau ou on les posait sur du verre, sur une pierre engravée au canal rempli d'eau, etc., mais sans avoir tout le succès escompté (fig. 7).

La plupart des colons venant en Inde pour trouver fortune, le mobilier n'était pas un investissement prioritaire. Un rapport de 1844 estimait que les fonctionnaires de la Compagnie, qu'ils soient civils ou militaires, ne restaient pas plus de trois ans dans le même poste, sauf circonstances exceptionnelles[29]. Le mobilier était plus coûteux qu'en Grande-Bretagne et pratiquement tout le monde devait acheter du neuf, ce qui explique que dans la majeure partie des cas, le fonctionnel et l'utilitaire aient primé sur l'esthétique. Autre facteur aggravant : les tarifs de transport prohibitifs et les assurances en cas de déménagement et de retour vers la métropole. Roberts observait, goguenard, que l'Arabe nomade du désert ne pouvait pas être moins attaché à son confort que ne l'était l' « Anglo-Indien[30] ». Ajoutons encore, comme facteur aggravant, les conditions d'insécurité et d'instabilité politique qui prévalurent jusqu'à la victoire de Serigapatnam en 1799 et la chute de Tippo Saïd.

La disposition générale des pièces était assez proche de celle de l'appartement de société destiné aux réceptions. On disposait d'une suite de pièces pour la danse, les jeux de cartes, les collations, la musique, etc. De plus, pour parer au danger potentiel que représentaient les animaux venimeux, on éloignait le plus possible les meubles des cloisons : point trop de meubles meublants donc. Les lits étaient toujours disposés au centre de la pièce, comme les tables et les sièges. Néanmoins l'implantation des meubles obéissait à une certaine ordonnance. La manière même d'utiliser les sièges mérite qu'on en dise quelques mots. Les gens s'assemblaient par petits groupes, selon les affinités ou l'intérêt des conversations. Cette mode gagna toutes les colonies britanniques rapidement, de l'Amérique jusqu'aux comptoirs indiens. On trouvait souvent des canapés, meubles pratiques qui évitaient de recourir à un trop grand nombre de chaises lors des mondanités. Notons aussi la profusion de ces tables volantes ou des guéridons qui étaient commodément placés à côté des sièges.

L'étude des inventaires révèle des meubles de provenances très diverses. Ceux-ci pouvaient avoir été exécutés par des ateliers indigènes où officiaient des maîtres ou par un fabricant installé en Inde et provenir de Canton ou d'Europe. Parmi les pièces les plus prisées il faut bien sûr compter les meubles issus des grands centres d'ébénisterie du Bengale où l'on travaillait l'ivoire avec une virtuosité étourdissante et dont les lignes menuisées étaient empruntées au riche vocabulaire néo-classique alors en vogue ([cat 88], fig. 8). Également fort apprécié, le meuble d' « Europe » était réservé à une élite en raison de son coût prohibitif ; il servit souvent de modèle et fut copié par les fabricants européens et indiens, ce qui lui valut, en quelque sorte, une filiation non dénuée d'intérêt. On notera non sans malice que jusqu'à la fin du XVIIIᵉ siècle le style français connut un certain succès, comme on peut le voir dans *La Conversation chez les Blair*, de 1786[31] (fig. 9). Concernant les modèles de qualité plus courante, plus d'un observateur relata la difficulté d'arriver à distinguer le meuble fabriqué en Europe de celui exécuté en

Inde. L'acajou massif était, rappelons-le, utilisé en Grande-Bretagne depuis les années 1740 ; en outre, les modèles de gravures, où les ébénistes puisaient habituellement leurs modèles, avaient traversé l'océan[32]. Quant à reconnaître l'habileté des artisans indiens, c'est une lapalissade. D'une manière générale, on s'accorde à trouver à ces meubles coloniaux une apparence particulière, probablement en raison du métissage des lignes mais aussi de la qualité du travail et du recours à certaines techniques, tout particulièrement celle de l'ajour dans la sculpture.

Il serait vain de terminer cet exposé sans attirer au moins l'attention du lecteur sur ces œuvres aux références multiples. Dans l'Inde britannique, les influences inter-culturelles appliquées à l'art du meuble sont une évidence criarde, surtout à partir de la création d'ateliers d'artisans indiens placés sous le contrôle de contremaîtres européens, dont la formule fut initiée par les missions portugaises avant d'être reprise par les Hollandais et suivie par les autres nations d'Europe. Mais il faut remarquer aussi une autre source venue de l'est, avec la Chine. On trouvait non seulement des meubles laqués ou en bambou mais aussi des meubles exécutés à Canton, à la mode européénne. Néanmoins l'apport le plus étonnant résida dans la modification des lignes menuisées avec l'adaptation des dossiers curvilignes et tubéreux ou des motifs animaliers pour ne citer que ces seuls emprunts. On sait aussi qu'il y avait beaucoup d'immigrés chinois en Inde, artisans anonymes qui maîtrisaient aussi bien l'art du métal que celui des assemblages[33].

Amin Jaffer

(texte traduit et révisé par le comité de lecture)

8. Vizagapatam, fauteuil *burgomeister*, vers 1770. Teck recouvert de plaques d'ivoire gravées et laquées, 82. Londres, Victoria and Albert Museum.

[cat. 88] Vizagapatam, bureau, vers 1780. Paris, musée des Arts décoratifs.

9. Johan Zoffany, *La Conversation chez les Blair*, 1786. Huile sur toile. Collection particulière.

NOTES

1. Pour une approche détaillée de l'architecture anglo-indienne, on renverra le lecteur aux ouvrages suivants et à la bibliographie générale en fin d'ouvrage : Munro, 1789 ; Forbes, 1813 ; Roberts, 1839 ; Parks, 1850 ; Revd, 1861 ; Nilsson, 1968 ; King, 1984 ; Edwardses, 1988 ; Evenson, 1989 ; Yule and Burnell, 1989 ; Spear, 1991.

2. *The Heber Letters, 1783-1832*, 1950, p. 308.

3. *The World Surveyed*, 1660, p. 51

4. *Travels in India in the Seventeenth Century*, 1873, p. 278.

5. India Office Library (Mss. Eur. F. 151/159, f. 52).

6. Eden, 1983, p. 127.

7. Williamson, 1810, I, p. 179.

8. India Office Library (Mss. Eur. C. 240, p. 14).

9. Hodges, 1793, p. 9-10.

10. Gilchrist, 1825, p. 266 ; Grant, 1862, p. 11.

11. India Office Library (Mss. Eur. F. 175/34) ; cf. aussi Evenson, 1989, p. 55 ; *Bengal, Past and Present*, janvier-juin 1925, XXIV, p. 134.

12. Clemons, 1841, p. 10-11.

13. Kedleston, 1925, I, p. 98 ; d'Oly, 1828, p. 105.

14. India Office Library (Mss Eur. 240, p. 28-29) ; *Calcutta Gazette*, 27 avril 1788.

15. *Madras Courrier*, 17 octobre 1794.

16. Thornton, 1982.

17. Cf., par exemple, *Madras Courrier*, 17 octobre 1794, 4 décembre 1799.

18. *Id.*, 10 octobre 1808.

19. *The Unappreciated Dhurrie*, 1982.

20. Barr, 1989, p. 126 ; Parks, 1850, p. 313-314.

21. Grant, 1862, p. 63.

22. *Despatches from England 1696-1699*, 1929, p. 24.

23. *Despatches from England 1717-1721*, 1927, p. 73.

24. India Office Library (P/328/60).

25. Eden, 1866, I, p. 182.

26. Postans, 1838, I, p. 16.

27. India Office Library (Mss. Eur. 240, p. 28-29).

28. Roberts, 1839, p. 48-49.

29. Sleeman, 1844, II, p. 360.

30. Roberts, 1839, p. 105.

31. *Government Gazette*, 10 septembre 1818.

32. A. Jaffer, *Furniture in Early British India (unpublished PhD thesis), 1750-1830*, p. 147.

33. *Ibid.*, p. 193-194.

« À L'IMITATION DES INDES ». TOUCHES D'EXOTISME DANS LE QUOTIDIEN BORDELAIS DE 1785 À 1850

De son séjour à Bordeaux, qui s'étendit du 28 avril au 10 mai 1785, l'écrivain allemand Sophie de La Roche a laissé une relation remarquable d'intérêt. Rien n'échappe à son attention : la ville et ses environs, l'activité du port, les monuments, la vie intellectuelle, professionnelle et sociale des habitants. Reçue partout, Mᵐᵉ de La Roche relève des usages et des détails qui restent d'un intérêt capital et rendent particulièrement vivante cette période si faste à Bordeaux, à la veille de la Révolution[1].

Elle rend visite, entre autres, à la famille de François Bonnaffé, un des plus puissants armateurs bordelais, que sa parfaite réussite dans les affaires fit surnommer « l'heureux » par ses contemporains. Les Bonnaffé vivent dans une importante demeure, admirablement placée à côté du Grand Théâtre et exceptionnellement haute : son architecte, le Bordelais Étienne Laclotte, voulait ainsi dominer le Grand Théâtre construit par son rival, Victor Louis.

Cette belle demeure, marquée « au coin du bon goût et respirant la noblesse » est proposée à juste titre par l'écrivain allemand comme un exemple des plus fastueuses résidences de la bourgeoisie négociante de Bordeaux. À sa manière scrupuleuse et précise, Mᵐᵉ de La Roche décrit un grand salon, élégant par ses vastes proportions et ses lambris sculptés, où, selon le goût français le plus raffiné, se trouvent réunis bronzes, grandes glaces, tables de marbre, etc. Mais, plus spécifiquement, elle note quelques détails qui évoquent en filigrane ce qui caractérise alors le commerce maritime bordelais.

Le point fort du salon s'articule autour de quatre grands bustes sculptés, ceux de Montaigne et de Montesquieu, garants obligés de préoccupations intellectuelles qu'il convient de souligner mais aussi ceux du comte d'Estaing et de Necker, ainsi révélateurs d'intérêts plus pragmatiques. « Il semble que le commerce soit [à Bordeaux] plus particulièrement qu'en d'autres villes commerçantes, l'élément des habitants », note à la même époque Neufchâtel, auteur d'un rapport sur la situation économique de la ville[2]. Le comte d'Estaing, « protecteur des navires marchands » et Jacques Necker, financier habile et libéral, protestant de surcroît, sont considérés comme les génies tutélaires du commerce dans ce milieu de négociants réalistes, appartenant pour la plupart à la religion « prétendue réformée ». « La liberté est l'âme du commerce », avait proclamé quelques années auparavant l'intendant Dupré de Saint-Maur. Les négociants sont, par-dessus tout, épris de liberté. Et cette liberté de commercer hors de toute contrainte les fera adhérer un peu plus tard avec enthousiasme aux idées de la Révolution. Ils s'étaient félicités en 1759 de la levée de la prohibition des indiennes, qui avait immédiatement entraîné un décuplement des ventes puis, en 1769, de la suppression du privilège exclusif de la Compagnie des Indes, mais ils pouvaient à bon droit s'inquiéter que cette liberté fût à nouveau menacée par l'arrêt du Conseil d'État du 10 juillet 1785, suivi de la création d'une nouvelle Compagnie des Indes, celle du ministre Calonne, qui rétablissait les mesures discriminatoires de 1746 et 1748 concernant l'entrée des « mousselines et toiles de coton venant de l'étranger », ce « pilier traditionnel » du commerce des Indes[3]. Il leur faudra attendre le 3 avril 1790 pour que le privilège de cette nouvelle Compagnie soit aboli. Un pli, adressé par courrier extraordinaire au président et « commissaire de commerce » (sic) de Bordeaux et signé par

[cat. 168] Tinot, *Une grisette bordelaise*, 1829. Bordeaux, musée des Arts décoratifs (collection Jeanvrot).

[cat. 161] Manufacture des Terres de Bordes en Paludate, théière, 1787-1790. Bordeaux, musée des Arts décoratifs.

l'armateur Corbun et le député bordelais Béchade-Casaux, l'annonce triomphalement : « Le commerce au-delà du cap de Bonne-Espérance est libre à tous les Français [...] et si nous avons jamais éprouvé une joie pure, c'est lorsque nous sommes à même de vous annoncer une aussi bonne nouvelle[4]. » Mais Béchade-Casaux, porte-parole d'une grande partie des négociants, est dans le même temps fortement opposé à l'abolition de l'esclavage et de la traite, ce qui replace la notion de liberté de ces grands négociants dans un cadre très étroit, limité par leurs intérêts...

La manière de s'habiller des femmes est un autre trait qui retient Mme de La Roche et elle s'étonne des robes blanches, très simples, revêtues par les demoiselles Bonaffé. Il s'agit de « gaulles », ces robes-chemises — qualifiées de « nouvelles robes en chemise » dans le *Journal de Guienne*[5] — portées par les créoles des Antilles, dont la mode, lancée en France à la fin de l'Ancien Régime, eut Bordeaux comme point de départ. Au XVIIIe siècle, les relations de Bordeaux avec les îles françaises — la Martinique, la Guadeloupe et surtout Saint-Domingue à partir de la seconde moitié du siècle — sont étroites et leur commerce est générateur d'une richesse qui inonde la ville.

Dans la description du salon, il est encore un détail plus intrigant cette fois, car il reste imprécis. Il s'agit du tissu des grands rideaux drapés garnissant les fenêtres et formant un décor sur les murs (les portes ornées de glaces sont drapées des mêmes rideaux), qui recouvre également les chaises et les canapés, « de couleur jaune pâle et parsemé de petites flammes imprimées roses et violettes ». Ces couleurs rappellent celles des textiles indiens ; ce que l'auteur décrit comme des petites flammes imprimées pourrait correspondre à un semis de *boteh*, la forme légèrement incurvée vers le haut de ce motif indo-persan évoquant une flamme ; mais ces « flammes » pourraient être aussi le dessin de la petite flèche imprimée simulant l'*ikat*[6].

La présence d'une indienne aux fenêtres, sur les murs et les sièges du salon est comme une allusion à ce commerce des Indes, si prisé à Bordeaux et pour lequel tant de boutiques ont pignon sur rue dans le quartier actif des marchands et des artisans, situé tout contre les quais, ainsi qu'en témoigne, entre autres, le *Journal de Guienne*[7] tout entier composé d'annonces. Pour l'année 1785, M. Geneston propose, rue des Argentiers, un magasin d'indiennes, de mousselines, toiles de coton, nankins, linons, batistes et toiles royales ; rue du Pas-Saint-Georges, c'est M. Chasteauneuf ; Élie Perpignan, à l'enseigne de la Bienfaisance, fossés de l'Hôtel-de-Ville, ajoute à la marchandise venue des Indes d'autres articles « dans le nouveau goût et nouvellement arrivés de Paris » et des toiles de Jouy. Cette boutique, très importante sans doute, sera annoncée plusieurs années de suite. On trouve encore Mme Toilier qui vend son fonds de boutique et M. Lefèvre, installé rue des Bahutiers. La marchandise des Indes est tellement appréciée que M. Robert, qui est arquebusier près de la porte du palais ou M. André, orfèvre rue des Argentiers, en proposent la vente dans leur échoppe. Certains boutiquiers sont directement installés chez des armateurs, M. Étienne, dans la maison Mazois, rue de la Devise ou MM. Sazias et Noé, « dans la grand'cour de la maison Gradis ». M. Lameyra, rue des Carmes, vend des tissus mais aussi du « thé de toutes les qualités » et de « superbes tasses de porcelaine ». Tandis que M. Pinel, qui est menuisier, « troque ses marchandises [de tissus] pour des bois d'Inde, de buis, de campêche, dents d'éléphants, cacao ». Daniel Vaz a trois boutiques... On ne peut pas tous les mentionner mais le *Journal de Guienne*, de 1785 à 1789, ne cite pas moins de trente-trois boutiques ou revendeurs différents auxquels il convient d'ajouter les marchands qui fréquentaient les grandes foires bisannuelles et ceux qui avaient choisi d'autres journaux d'annonces...

L'historien Paul Butel a expliqué que les armateurs bordelais avaient longtemps hésité devant les expéditions très longues vers l'océan Indien — pas moins de deux ans pour un aller et retour —, expéditions beaucoup plus longues que celles des Antilles auxquelles ils étaient habitués depuis le début du XVIIIe siècle. Ce n'est qu'à la fin de la guerre d'Indépendance de l'Amérique, en 1782, que les Bordelais se lancèrent vraiment dans le commerce des Indes orientales. « Cet engouement soudain se rattache à un phénomène international : dans toute l'Europe, après 1783, l'intérêt tend à glisser du commerce des Antilles, dont la rentabilité a diminué, vers celui de l'océan Indien, qui assure encore des profits élevés. » Mais la destination privilégiée des vaisseaux bordelais reste essentiellement, en cette fin du XVIIIe siècle, les escales françaises que sont les îles Mascareignes[8] et tout particulièrement l'île de France, l'ancienne Maurice des Hollandais qui s'y étaient installés en 1638 et l'avaient ainsi baptisée en hommage à Maurice de Nassau. Toujours dans le *Journal de Guienne*, pour la période déjà évoquée, à la rubrique « navires passés en revue » et armés par des Bordelais, en partance ou au retour de l'océan Indien, on compte quatre navires revenant des Indes, plus précisément de Pondichéry. Il y a aussi l'*Asie*, armé par les frères Journu, venant des côtes de Malabar, Coromandel et de l'île de France. Un navire pour la Chine, un pour Batavia, six pour l'île Bourbon contre soixante-six pour l'île de France. Les Français avaient occupé d'abord, dès 1663, Bourbon, mais dans la mesure où il y avait impossibilité d'y installer un port indispensable pour les relâches des bâtiments de la Compagnie, Louis Poyvin d'Hardancourt conseilla en 1713 l'occupation de l'île de France, qui disposait de deux baies très sûres ; c'est grâce à Bertrand François Mahé de La Bourdonnais que fut aménagé, quelques années plus tard, Port-Louis sur l'île de France, qui ne sera organisé comme un grand entrepôt qu'après 1770[9].

Les Bordelais, bien entendu, n'avaient pas attendu cette nouvelle orientation des expéditions au long cours pour découvrir les produits de l'Inde ou de la Chine. Jusqu'à la création de la Compagnie française des Indes orientales par Jean-Baptiste Colbert, en 1664, ce sont les Hollandais, par ailleurs si nombreux à Bordeaux au XVIIe siècle, qui sont les intermédiaires entre l'Orient et la France. Les premières touches d'exotisme, relevées sur le décor des faïences de Bordeaux, sont ainsi inspirées par les pièces de Delft, imitées de la Chine — pièces tant admirées et convoitées par le premier directeur de la manufacture de faïence bordelaise, Jacques Hustin, qu'il voulait s'en inspirer puis les surpasser.

Plus tard et après la création de la Compagnie française des Indes de John Law, en 1719, c'est Lorient (orthographié l'Orient), qui fut le passage obligé pour le transit des marchandises orientales, produits extrêmement variés, parmi lesquels abondaient les tissus et les porcelaines de Chine d'exportation, que l'on appelait d'ailleurs « porcelaine des Indes » ou, plus simplement, « terres des

Indes ». Les négociants bordelais habilités à l'achat de cette céramique étaient pour la plupart des juifs séfarades d'origine portugaise.

Le détail est intéressant de la vente qui eut lieu à Lorient du 15 septembre au 4 novembre 1777[10], à l'arrivée de vaisseaux français dont l'origine de l'armement n'est pas précisée. Sont citées d'abord les « marchandises de Chine », comprenant essentiellement du thé et de la porcelaine mais aussi des tissus (gourgouran, satin, pékin, lampas pour robes et pour meubles, gaze). Viennent ensuite les « marchandises de l'Inde au poids » (café, gomme arabique, encens, cuir, cauris, ébène, salpêtre, camphre, etc.), mais aussi « coton et soie graise de Bengale filée à l'italienne ». Et puis, et c'est là la rubrique la plus importante, celle des « toileries et mousselines », dans laquelle sont énumérés une centaine de noms différents, désignant une marchandise textile venue du Bengale, de la côte de Coromandel et de celle de Malabar, de Moka et de Surate.

Et nous trouvons dans la production bordelaise des arts décoratifs de cette fin du XVIIIe siècle quelques touches très discrètes « des Indes », pour reprendre ce terme général incluant la Chine, l'Inde et les îles lointaines. La mention du décor « imitant les Indes » apparaît à la manufacture de porcelaine des Terres de Bordes en Paludate [cat. 161], qui connut un fonctionnement très bref de 1787 à 1790, sur les inventaires des pièces destinées à être apportées aux foires ou mises en dépôt dans différents magasins[11].

En revanche, sur la faïence stannifère fabriquée à Bordeaux de 1714 environ jusqu'aux premières années du XIXe siècle, il n'est mentionné nulle part, dans ce qui reste des archives des manufactures, l'intention d'une telle imitation, bien qu'on puisse en relever les traces à différentes époques (cf. les faïences présentées dans le catalogue). L'Inde n'est évoquée par Jacques Hustin, dans la correspondance qu'il échange avec son associé Bernard de La Molère, qu'à travers, nous l'avons dit, « les Hollandais qui ont commencé les premiers à imiter ce qui vient des Indes ».

C'est dans le domaine du papier peint que se manifeste le plus précocement à Bordeaux une influence évidente des textiles orientaux mais rien que de très normal, puisque le fabricant un peu important en cette fin du XVIIIe siècle est un Irlandais, Édouard Duras, qu'un arrêt de la jurande de 1772 autorise à tenir « boutique et ouvroir » à Bordeaux. Il s'installe dans un immeuble en plein cœur de la ville, place Dauphine. Duras et un autre marchand britannique, Jacques Wilson, établi la même année au Palu des Chartrons — dont on trouve une annonce publiée en 1772 dans un journal local —, arrivent de Grande-Bretagne avec leur savoir-faire. Il s'était passé la même chose lorsque, quelques années plus tôt, durant la guerre entre la France et la Grande-Bretagne, qui avait commencé en 1756 et qui mit un terme pour quelque temps aux échanges commerciaux entre les deux pays, des Britanniques choisirent de se fixer à Paris[12].

Il ne reste aucune création de Wilson. En revanche, on connaît mieux Duras. Celui-ci commença par vendre, comme la majeure partie des fabricants français de papier peint à la détrempe, des papiers peints britanniques ; il était, étant donné ses origines, mieux placé que quiconque pour le faire. Il créa ensuite lui-même des papiers peints, miraculeusement retrouvés en grand nombre au château des évêques de Dax, que l'existence d'un chef de pièce, portant avec son nom et son adresse la date de 1772, authentifie sans doute possible. Quatre fragments ont été mis au jour, dont la composition est organisée en grands rinceaux verticaux de fleurs exotiques sur des fonds divers inspirés de motifs textiles et de dentelles de fabrication européenne, tandis qu'un modèle de style Louis XVI, gris et rose, présente, cantonnés dans des bandes verticales de goût très français, des semis de petites fleurs stylisées, directement inspirées par des fonds d'indiennes. Plus complexe, plus savamment et diversement coloré, est le modèle auquel fut donné le nom de « sorbier aux oiseaux » (fig. 1) qui[13], à la différence des modèles inspirés par les textiles de l'Inde, se présente plutôt comme une variante de papier chinois. Sur un large réseau de fins branchages sinueux, se développe un décor floral exubérant et non plus cantonné, que domine la pivoine et qu'animent différents oiseaux. Les papiers peints de Chine, introduits à Londres dès la fin du XVIIe siècle et dont le décor d'oiseaux et de fleurs sera privilégié jusqu'au milieu du

1. Édouard Duras, papier peint à huit couleurs sur fond bleu (branchages, oiseaux et fleurs), XVIIIe siècle. Saint-Paul-les-Dax, château des Évêques (collection Jacques et Françoise Blanc-Subes)

XVIIIᵉ siècle, arrivaient régulièrement par Lorient. Très raffinés et recherchés dans les premiers temps, ils virent leur qualité décliner après 1750. Devenus d'usage plus courant, ils faisaient partie des cargaisons. On apprend par le *Journal de Guienne* pour l'année 1786 que les navires *Bon Henry* et l'*Archiduc* rapportent de Lorient huit caisses de papiers peints et deux caisses de porcelaines ainsi qu'une grande quantité de pièces de nankin, le tout fabriqué en Chine et acheté en Inde, auxquelles s'ajoutent douze mille trois cents pièces de guinées bleues et cinq mille deux cent quatre-vingt-trois de guinées blanches, ces tissus si particuliers qui servaient à la traite à laquelle Bordeaux commence alors à participer activement. Les cargaisons de la Chine et de l'Inde sont confondues, d'où l'unique qualificatif de « marchandises des Indes » pour les désigner.

Acheter directement en Chine fut longtemps difficile, comme en témoigne Jean-François de Lapérouse : « On est aussi éloigné de la Chine à Macao qu'en Europe par l'extrême difficulté de pénétrer dans cet empire [...] Le gouvernement [chinois] [est] le plus injuste, le plus oppresseur et en même temps le plus lâche qui existe dans le monde [...] Il ne se boit pas une tasse de thé en Europe qui n'ait coûté une humiliation à ceux qui l'ont achetée à Canton, qui l'ont embarquée et ont sillonné la moitié du globe pour apporter cette feuille dans nos marchés[14]. » Raison pour laquelle le voyage en Chine que fait Jean Étienne Balguerie, dit Balguerie junior, de 1783 à 1785, comme capitaine de l'*Hippopotame* constitue un exploit, dont la relation qu'il en a laissée est remarquable d'enseignement[15].

Les toiles imprimées à l'imitation des indiennes ou perses sont fabriquées à Bordeaux, bien tardivement par rapport aux grands centres français. La manufacture la plus importante, celle de Jean-Pierre Meillier, à Beautiran, date de 1797 ; auparavant, en 1786, une première manufacture est installée par Frédéric Lecler à Pont de la Maye. La même année, un document en date du 22 avril est signé conjointement par trois « armateurs de Bordeaux faisant le commerce de la traite des nègres », dans lequel ils demandent que les négociants bordelais puissent établir dans leur ville un atelier de fabrication de « guinées bleues, *salempourys*, *liménéas* et mouchoirs » qu'ils sont obligés d'acheter à l'étranger[16].

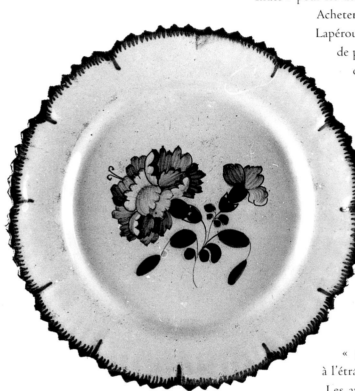

[cat. 160] Manufacture de Boyer, assiette en faïence stannifère, fin du XVIIIᵉ-début du XIXᵉ siècle. Bordeaux, musée des Arts décoratifs.

Les avis sur cette opportunité se multiplient autour de 1800 et de manière souvent plus nuancée et plus impartiale. Ainsi l'ingénieur Nicolas Thomas Brémontier, plus connu comme ordonnateur du premier boisement des dunes, publie en 1800 un mémoire, *Le Port de Bordeaux offre-t-il des avantages particuliers pour faire le commerce de l'Inde, en concurrence avec les autres ports*[17] ; mieux documenté encore, le *Mémoire sur le commerce de l'Inde*[18] est publié en 1801 par le négociant Marc Antoine Mazois, riche d'une longue expérience acquise successivement à Saint-Domingue, Saint-Malo et Lorient — pour y suivre les ventes du commerce de l'Inde et visiter les possessions françaises au-delà du cap de Bonne Espérance. Ce mémoire était adressé au Premier consul dont les ambitions, en menant la campagne d'Égypte, étaient de s'assurer la clé du commerce du Levant et des Indes et dont le rêve de conquête fut anéanti à Aboukir[19].

Les décors les plus directement inspirés de l'Inde — un connu à Pont de la Maye et huit recensés jusqu'à ce jour à Beautiran — restent les pièces les plus attrayantes, en tout cas les plus originales, des manufactures bordelaises. Au milieu de l'exubérance la plus luxuriante, des fleurs de fantaisie alternent avec des spécimens botaniques rendus avec naturalisme ; ainsi retrouve-t-on sur une toile de Beautiran, à côté de lourdes pivoines analogues à celles des décors des porcelaines de King-to-tchen, les œillets indiens couronnés d'un petit panache qui est l'extrémité du pistil, caractéristique, avec la densité des pétales, de cette fleur des Indes qui apparaît, à la même époque, au centre des assiettes en faïence stannifère de la manufacture de Boyer, à Bordeaux [cat. 160].

Un autre très beau modèle de Beautiran a peut-être la même origine que le papier peint de Duras dit « sorbier aux oiseaux » ; on y retrouve le même réseau de tiges arborescentes auxquelles s'attachent

des pivoines et des graminées et qu'anime cette fois un perroquet, nouvelle touche d'exotisme [cat. 153].
Ce perroquet est si fidèlement dessiné qu'il semble copié d'après un traité de sciences naturelles, avec un
gros bec arrondi, un plumage gris et rouge et une courte queue : jaco africain ou lori des îles Moluques.
La douceur et la sociabilité de cette dernière espèce lui valent de porter le surnom de « lori des dames ».
Pierre Lacour le père peint un de ces oiseaux, tout à fait apprivoisé, se nourrissant de friandises sur la
main de Mme Guilbert. Pierre Guilbert fut à Bordeaux en cette fin du XVIIIe siècle un des meilleurs
constructeurs de navires, un homme bien riche quoique d'humble extraction.
On retrouve encore un perroquet, cacatoès cette fois, juché sur le chevalet d'un autre
peintre bordelais, Gustave de Galard, qui fut un témoin attentif des types et des
coutumes de sa ville. Le perroquet de la toile de Beautiran a-t-il été copié sur un
dessin indien ou est-il tout simplement le bel oiseau bariolé rapporté par les marins
des contrées d'Afrique où les navires faisaient escale pour la traite ou, plus loin,
d'une île au-delà des Indes ?

[cat. 153] Beautiran, indienne
(détail), fin du XVIIIe siècle.
Beautiran, collection municipale.

Comme les indiennes de l'Inde qui servaient aussi bien au décor de la maison
qu'à l'habillement, Beautiran a créé des décors d'un effet spectaculaire pour les lits à
l'ange, les rideaux et les tentures murales mais aussi, beaucoup plus modestes, des
impressions de semis de fleurettes monochromes pour des jupes ou des petites
capuches, comme celle qui est présentée dans le catalogue.

C'est dans le domaine de la mode vestimentaire, abordé par Beautiran, que
Bordeaux suscite dès la fin du XVIIIe siècle et tout au long du XIXe siècle, une mode
qu'elle partage, comme celle des robes en chemise, avec les Antilles. Il s'agit de la
coiffure en « mouchoir de Madras », devenue, pour un siècle, une spécificité
bordelaise, comme le *mezzaro* l'est à Gênes, cet autre port tourné vers les Indes.

Les voyageurs de passage à Bordeaux ne peuvent que remarquer cet usage et
d'autant plus qu'il est l'apanage de filles jeunes et jolies, notamment des grisettes.
« Elles sont charmantes ici [à Bordeaux] avec leur madras orange et rouge », écrit
Victor Hugo[20], qui en note fort justement les couleurs les plus courantes ; ce sont
celles qu'arbore le modèle de Tinot [cat. 168]. Théophile Gautier parle aussi de
cette « coiffure très originale composée d'un madras aux couleurs éclatantes posé à
la façon des créoles ». Et cette tenue est si seyante que certaines bourgeoises
n'hésitent pas à l'adopter ; peut-être est-ce le cas de la jeune fille blonde, aux yeux
de porcelaine, peinte en miniature par Tinot[21].

Admirateur de la beauté féminine et précieux observateur de la foule populaire
et pittoresque qui anime les rues de Bordeaux, Galard a laissé de nombreuses et
désormais célèbres représentations des jolies grisettes, lithographiées chez Jean-
Baptiste Légé. Grâce aux albums de Galard[22], on peut noter d'autres couleurs sur les
mouchoirs et les manières différentes de les nouer [cat. 169]. À partir de la Restauration, les femmes
portent leurs cheveux coiffés en un très haut chignon natté ou en coques, ce qui justifie l'importance du
madras porté par les plus élégantes ; lorsque les cheveux sont moins apprêtés — c'est le cas de la
marchande de royans ou de la blanchisseuse observées par Galard —, le madras épouse simplement la
tête et devient une manière commode de maintenir les cheveux. L'*Indicateur ou journal de commerce, de
nouvelles, de littérature et d'annonces* en donne la première année de sa parution, en 1804[23], une jolie
description : « Les petites bourgeoises dans leur ménage, plusieurs femmes de comptoir et quelques
grisettes ont pour coiffure, au lieu du fichu amarante de l'année dernière, une espèce de turban, formé
d'un fichu de mousseline, dite de cachemire ; dans ces mousselines, qui sont à la fois rayées, à fleurs et
nuancées, les couleurs dominantes sont le cerise, le jaune orangé et le jonquille. »

Si Bordeaux connaît depuis longtemps ces mouchoirs de coton[24], la mode de les porter sur la tête
est plus tardive. Apparue aux Antilles dès la seconde moitié du XVIIIe siècle, elle ne semble pas avoir été

[cat. 169] Jean-Baptiste Légé, d'après Gustave de Galard, *Grisette*, 1829. Bordeaux, collection particulière.

adoptée à Bordeaux avant le XIXe siècle. Peut-être coïncide-t-elle alors avec l'arrivée des créoles fuyant momentanément les îles — la Martinique est aux mains des Britanniques depuis 1794 et Saint-Domingue sera, jusqu'en 1802, soumise au pouvoir de Toussaint-Louverture.

En 1850 encore, c'est un Bordelais issu du milieu créole, Jean-Baptiste Saint-Prieul Dupouy, qui continue à faire l'éloge du « coquet » madras, « diadème naturel de la grisette » mais aussi, pour l'hiver, du châle de cachemire : « Entre les femmes et le cachemire, il y a une affinité, une harmonie indéfinissables[25]. » Mais, pour ce dernier, Bordeaux ne fit que souscrire à un engouement généralisé dans toute l'Europe.

Peu d'accessoires de la mode ont été autant portés, montrés, voire détournés de leur fonction première que les châles, que l'on écrira « shalls » jusqu'en 1833. Élément du vêtement masculin dans son pays d'origine, où il était porté sur les épaules, le châle serait, selon John Irwin, arrivé en Grande-Bretagne en 1765, rapporté de Bombay par l'amie de Laurence Sterne, Eliza Draper[26]. Dans son étude sur les châles présents dans l'œuvre de Jean Auguste Dominique Ingres[27], Edgar Munhall cite le baron de Tott comme introducteur du châle en France. Quelque temps secrétaire de Charles de Vergennes, ce gentilhomme hongrois eut une mission en Crimée puis à Constantinople dont il revint en 1776. Il rapportait dans ses bagages un châle de cachemire qu'il offrit à Mme de Tessé, à qui il servit de couvre-pieds. Mais après la campagne d'Égypte d'où les vainqueurs rapportèrent des châles, c'est Joséphine

[cat. 165] Attribué à Amédée Couder,
châle carré (détail), vers 1835. Paris,
collection Marie-Noëlle Sudre.

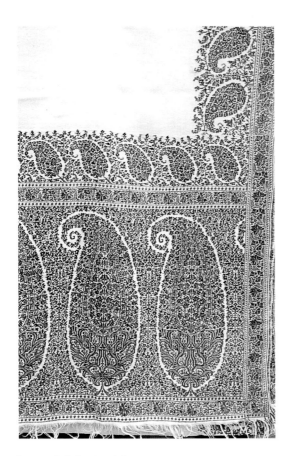

[cat. 135] Cachemire, châle
long (détail), 1820-1830.
Collection particulière.

Bonaparte qui, la première, en fit sa parure favorite et Munhall raconte encore, d'après des mémoires de l'époque, la jolie anecdote du général Rapp disant à Joséphine : « Permettez que je vous fasse l'observation que votre châle n'est pas mis avec cette grâce qui vous est habituelle. — Joséphine, en riant, lui laissa l'arranger à la manière des femmes égyptiennes. »

La mode, sous le Directoire, étant aux toilettes souples « à l'antique » ou « à la vestale », très décolletées et réalisées dans des mousselines de coton légères, la tiédeur des châles en fut le complément indispensable et mieux adapté que les écharpes de gaze de soie qu'ils remplacèrent peu à peu. Pourtant, dès 1796, la décision fut prise d'interdire l'importation des étoffes mélangées de soie et de poils ; or les châles de Cachemire sont faits avec le duvet des chèvres de l'Himalaya et du Tibet. Sous l'effet du blocus continental à l'encontre des marchandises rapportées par les Britanniques, cette prohibition se durcit encore en 1806. On reste confondu devant ces multiples interdictions qui furent si peu respectées, à commencer par Joséphine et les dames de la cour consulaire puis impériale. La contrebande s'organise vite et par tous les moyens ; les châles passent par Marseille s'ils proviennent d'Alexandrie, de Singapour ou de Constantinople, Strasbourg, s'ils proviennent de Russie et Bordeaux s'ils proviennent du Bengale, tandis que tous les achats faits aux ventes de la Compagnie des Indes de Londres sont acheminés par les ports de la Manche[28].

[cat. 164] Anonyme, *Dame
assise dans un salon* (détail),
1833. Bordeaux, musée
des Arts décoratifs.

Bordeaux fut donc un des grands fournisseurs de châles importés. C'est dans l'*Écho du commerce de Bordeaux*, en 1802, que l'on trouve la première mention de châle ; curieusement, c'est un négociant de Paris, le citoyen Tissot, qui en apporte à la foire d'automne au milieu « d'un assortiment d'étoffes nouvelles [...] Le tout se vendra dans le magasin du citoyen Tissot, fils aîné, rue du Chapeau-Rouge, à l'enseigne de la ville de Manchester n° 3 près de la Bourse[29] ». [cat. 164.]

À partir de 1804, les châles sont proposés dans tous les journaux d'annonces avec un luxe de détails dans leur description qui nous éclaire sur le succès de cette parure qui garantit si bien du froid : « Le vent froid et les pluies n'ont fait reprendre ni les capotes de drap, ni les douillettes ; mais on a fait emplette de shalls de laine », lit-on encore dans l'*Écho du commerce de Bordeaux*. Revers de ce succès, il y avait beaucoup de contrefaçons, ainsi que nous l'apprend une autre annonce du même journal, le 11 floréal an XIII : « Il y a des shalls relavés, des shalls repeints, des shalls imités dont la broderie en reprise ressemble parfaitement à celle qui doit faire partie du tissu. Les connaisseuses ne s'y trompent pas, mais les novices et les provinciales pourraient s'y méprendre. À elles s'adresse cet avis officiel et officieux. »

Peu à peu, à Bordeaux comme partout, apparaissent les châles français à la manière de l'Inde. Napoléon, pour tenter de diminuer les importations frauduleuses, en encourage la fabrication — les châles offerts par l'empereur n'étaient pas des cachemire des Indes ! [cat. 136, 165.]

Étalé ou discret, car il est un témoignage de richesse et de goût, le châle cachemire ou son imitation envahit les portraits féminins bordelais, portrait en grand ou miniature. Il est désormais totalement incorporé à la société. Chef-d'œuvre de l'histoire textile, parure de confort et de charme aux multiples usages, il demeure la pièce emblématique d'un certain exotisme, celui d'une civilisation raffinée aux savoir-faire inimitables, qui hantera toujours l'imaginaire occidental.

Jacqueline du Pasquier,
qui remercie tout particulièrement Anne Guérin, pour ses recherches d'archives, si précieuses

NOTES

1. Méaudre de La Pouyade, « Impression d'une Allemande à Bordeaux », in *Revue historique de Bordeaux et du département de la Gironde*, 1911, IV.

2. A. Neufchâtel, *Tableau alarmant de la ville de Bordeaux par un négociant*, 1788 (archives départementales de Gironde, 8 J, fonds Bigot).

3. Arrêt du Conseil d'État du roi (archives départementales de la Gironde, C. 4374 [84]).

4. Archives départementales de la Gironde, C. 4367 (4).

5. *Journal de Guienne* (archives municipales de Bordeaux, 184 C. 3).

6. *I Mezzari tra Oriente e Occidente*, cat. exp., Gênes, 1998, n° 4.

7. *Id.*, 9. Ca. 1.

8. F. Crouzet, *Dans Bordeaux au XVIIIᵉ siècle*, Bordeaux, 1968, p. 240.

9. P. Haudrère, « Les escales de la Compagnie des Indes », in *Bulletin du Centre d'histoire des espaces atlantiques*, 1993.

10. Archives municipales de Bordeaux, fonds Delpit, n° 141.

11. *La Manufacture des Terres de Bordes en Paludate*, cat. exp., Bordeaux, 1989, p. 33.

12. F. Teynac, P. Nolot et J. D. Vivien, *Le Monde du papier peint*, Paris, 1981.

13. J. et F. Blanc-Subes, « Le marché du papier peint à Bordeaux à la fin du XVIIIᵉ siècle », in *Le Port des Lumières. Le décor de la vie, Bordeaux 1781-1790*, Bordeaux, 1989.

14. J.-F. de Lapérouse, *Voyage autour du monde sur l'Astrolabe et la Boussole*, Paris, 1997, p. 180-181.

15. R. Cruchet, « Le voyage en Chine de Balguerie Junior (1783-1785) », in *Revue historique de Bordeaux et du département de la Gironde*, 1952.

16. *Sublime indigo*, cat. exp., Marseille, 1987, n° 166.

17. Bordeaux, an IX (Bibliothèque municipale, S. 7052. 12).

18. Bordeaux, an X (archives municipales de Bordeaux).

19. *Mémoires de Mᵐᵉ de Rémusat*, Paris, 1881, p. 274.

20. *France et Belgique/Alpes et Pyrénées* (archives municipales de Bordeaux, 140266).

21. *L'Âge d'or du petit portrait*, cat. exp., Bordeaux-Genève-Paris, 1995, p. 88-89.

22. *Albums bordelais ou Caprices, Album départemental ou Bordeaux et ses environs, sites, costumes nouveaux* (archives municipales de Bordeaux, recueils 106-105).

23. Archives municipales de Bordeaux, 9. C. 1.

24. Savary des Bruslons, *Dictionnaire universel du commerce*, 1761 : « Mouchoir : il vient des Indes orientales particulièrement du Bengale, des toiles toutes de coton et des espèces de toiles ou étoffes de coton mêlées de soie qui sont propres à faire des mouchoirs à tabac, d'où elles ont pris le nom de mouchoirs. » Mᵐᵉ F. Cousin, conservateur au musée de l'Homme à Paris, spécialiste des textiles, estime que le mouchoir de Madras n'a jamais comporté de soie et qu'il est uniquement en coton.

25. Archives municipales de Bordeaux, IX-h. 77.

26. J. Irwin, *The Kashmir Shawl*, Londres, 1973.

27. E. Munhall, *Ingres and the Comtesse d'Haussonville*, New York, 1987, p. 101.

28. M. Delpierre, « Le châle cachemire et la mode française », in *La Mode du châle cachemire en France*, Paris, 1952.

29. Archives municipales de Bordeaux, 177 1, 177 2.

HOC·EST·ENIM·COR
PVS·MEVM·
HIC·EST·ENIM·CALIX·SAN
GVINIS·MEI·NOVI·ETERNI
TESTAMENTI·MISTERIVM
FIDEI·QVI·PRO·VOBIS·E·PRO
MVLTIS·EFVNDETVR·IN
REMISSIONEM·PECCATO
RVM·

I

local. Il faut souligner ici le nombre de titres d'ouvrages d'architecture (Vitruve, Vignole, etc.) figurant dans les bibliothèques des jésuites. Des meubles et des objets, entièrement peints, sont attestés à Goa dès la fin du XVIe siècle par J. H. de Linschotten. On pouvait, en outre, les commander dans la couleur souhaitée.

T. N. T.

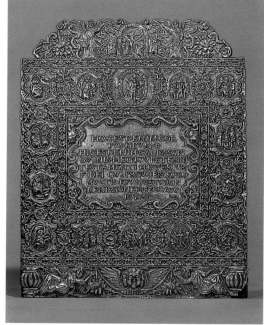

3

1. ANONYME

Vers 1650

Vue du comptoir danois de Tranquebar
sur la côte de Coromandel

Huile sur toile, 150 x 290

Inscriptions : *bureaux de la douane ; la maison Kongsbat ;*
l'église portugaise ; pagodes ; mosquées ; cabanes indigènes

Skokloster, Skoklosters slott

HIST. : ancienne collection du comte Carl Gustaf Wrangel en 1676 ; enregistré dans les collections Skoklosters slott dès 1728.

T. N. T.

2. ORATOIRE

Indes portugaises, Goa, XVIIe siècle

Teck, polychromie, 60 x 85 x 25

Lisbonne, Museu Nacional de Arte Antiga

Inv. 1521 mov

La forme de cette chapelle portative domestique, avec sa coupole polygonale, ses arcatures et ses colonnes torsadées, est directement issue de l'architecture monumentale occidentale du XVIIe siècle. Les motifs floraux tapissants sont empruntés au répertoire indien

3. SACRA

Indes portugaises ou Mozambique, XVIIe siècle

Argent, 54 x 44,5

Lisbonne, Museu Nacional de Arte Antiga

Inv. 795 our

HIST. : vieille église de Tete, au Mozambique
— l'épiscopat du Mozambique faisait partie de l'archidiocèse de Goa ; offert en 1902 au Museu Nacional de Arte Antiga par l'évêque D. Antonio, titulaire d'Agros et prélat du Mozambique.

Le décor, assez conventionnel, est probablement inspiré d'une gravure envoyée du Portugal. Ce *sacra*, destiné à conserver le ciboire et le calice, a bien été réalisé outre-mer ; aucun élément particulier ne permet cependant de localiser précisément son origine. On sait que des ouvriers indiens étaient à l'époque établis dans les *feitorias* de la côte d'Afrique de l'Est.

T. N. T.

2

4

4. COFFRET

Gujarat, seconde moitié du XVIᵉ siècle
Or, traces d'émaux, 14 x 19,5 x 9,6
Lisbonne, Museu Nacional de Arte Antiga
Inv. 577
HIST. : rapporté des Indes à la fin du XVIᵉ siècle
par D. Filipa de Vilhena, épouse du vice-roi Matias
de Albuquerque, qui l'offrit, à la suite d'un vœu
à la Vierge, au monastère des frères augustins
da Graça à Lisbonne.

L a forme est issue de celle des coffrets du
XVᵉ siècle. Le répertoire ornemental relève
du monde chrétien et de l'islam. Les motifs
géométriques, enchâssés dans des figures carrées,
sont très proches de ceux de l'une des fenêtres
de la mosquée de Sidi Saïd à Ahmedabad. La
serrure carrée est gravée de motifs de feuillages
et d'oiseaux. Selon Grégoire le Grand, le lézard
symbolise l'âme qui cherche humblement
la lumière, par contraste avec l'oiseau qui
possède des ailes pour atteindre les sommets.
Remarquons que si la technique du filigrane
est parfaitement maîtrisée en Inde, celle
de la gravure au burin a été introduite par les
Occidentaux et atteste toujours une commande
pour les étrangers. Traditionnellement, on ne
grave pas mais on martèle le métal, suivant
diverses techniques, pour le déformer.
T. N. T.

5

5. FRAGMENT DE COUVRE-LIT

Gujarat, fin du XVIᵉ siècle
Coton, soie *tussah*, 213 x 162
Lisbonne, Museu Nacional de Arte Antiga
Inv. 3413 Tec

L e répertoire dépeint des scènes de chasse
et des scènes maritimes, encadrées par des
frises d'ornements géométriques islamisants :
arabesques polygonales, rosettes, étoiles, etc.
T. N. T.

7

8

6

11

6-11. AZULEJOS INDIENS

Deccan (région de Bijapur),
deuxième quart du XVIIᵉ siècle
Terre cuite, pâte blanche, bleu de cobalt,
oxyde de cuivre (bleu turquoise),
couverte stannifère transparente
HIST. : église du couvent de Santa Monica
à Velha Goa.

6. CARREAU DE PAVAGE

22 x 19,5

Lisbonne, Museu Nacional do Azulejo
Inv. 471

7. CARREAU DE PAVAGE

20,8 x 19,4

Paris, collection Krishna Riboud

8. CARREAU DE PAVAGE

17,5 x 18,5

Lisbonne, Museu Nacional do Azulejo
Inv. 473

9. CARREAU DE PAVAGE HEXAGONAL (encadrement) [NON REPR.]

16,5 (diam.)
Lisbonne, Museu Nacional do Azulejo
Inv. 478

10. CARREAU DE PAVAGE (encadrement) [NON REPR.]

10 x 20
Lisbonne, Museu Nacional do Azulejo
Inv. 479

11. CARREAU D'ENCADREMENT

9,5 x 19,5
Paris, collection Krishna Riboud

Ces carreaux, postérieurs à la fondation de l'édifice (1606), n'auraient été réalisés qu'après l'incendie du couvent en 1632. L'art du carreau, très peu usité en Inde, dénote une influence technique venue de Perse ou de Turquie, que l'on retrouve ancrée dans les trois sultanats d'Ahmadnagar, de Bijapur et de Golconde, dans le Deccan. La forme des arbres représentés sur les deux premiers carreaux [cat. 6-7] rappelle celle des « arbres de béatitude » des florilèges médiévaux. Ces décors peints sont autant d'incitations à la méditation pieuse ou de références à la liturgie. La mystique chrétienne transpose sur un plan spirituel ces symboles universels (ceps de vigne et grenades). La vigne, symbole de la connaissance et de l'ivresse mystique, devient l'image du Sauveur tandis que la grenade, symbole de fécondité, exprime par sa forme sphérique l'éternité divine ; son jus rappelle la jouissance de l'âme qui connaît l'amour. Les autres carreaux reprennent des motifs de médaillons polylobés et d'arabesques *rumi*, deux des motifs les plus courants du style timuride, répandu dans tout l'Orient musulman.
T. N. T.

12. REVERS DE MIROIR (?)

Inde moghole, première moitié du XVIIe siècle
Jade, or, rubis, topaze, néphrite, 14,2 x 18,6
Paris, musée Jacquemart-André
Inv. I.1166

L'utilisation de pierres polies en Inde est attestée par les textes dès le IIIe siècle avant Jésus-Christ. Le travail de l'agate, du cristal de roche et d'autres pierres est connu depuis l'époque bouddhique.

L'utilisation du jade n'est pas réellement attestée en Inde avant le règne de Jahângîr (1605-1627) et les premiers exemples semblent issus de modèles timurides. Quant à la technique de l'incrustation de pierre, il s'agit vraisemblablement d'une technique indienne qui connaît son apogée à la fin du XVIe et au début du XVIIe siècle.

La trame géométrique de la résille ovoïde à pointe étirée est directement inspirée de l'art textile dont les références sont connues par de nombreux exemples de soieries persanes ou turques du XVIIe siècle ou des tapis, à motifs identiques, exécutés en Perse pour le marché indien. Introduits en Europe, ces textiles ont eu un écho, comme en témoigne, par exemple, le plafond en stuc de la Cartoon Gallery de Knole en Grande-Bretagne, qui reprend une ornementation en tous points similaires à ce revers de miroir. Ce plafond fut exécuté en 1608 par un artisan plâtrier célèbre, Richard Dungan. Le recueil de modèles de Walter Gedde (*A Book of Sundry Draughtes*), qui diffusa largement ces motifs, est postérieur de dix-sept ans à l'exécution de ce plafond.

T. N. T.

12

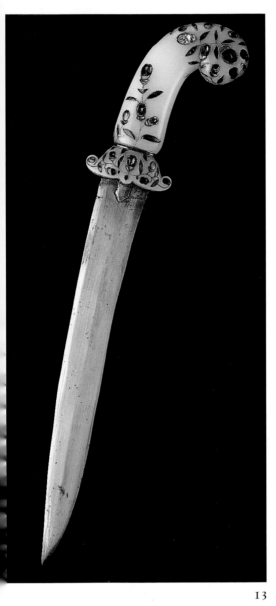

13

15-16. CROIX RELIQUAIRE ET PAIRE DE BURETTES

Inde, fin du XVIIe-début du XVIIIe siècle
Croix reliquaire : néphrite, or, rubis, verre incolore,
28,1 x 12,5 ; 6,5 x 6 (socle)
Burettes : néphrite, or, rubis, topaze, verre bleu,
or et argent émaillés, 12
Porto, Museu Nacional de Soares dos Reis
Inv. 120 Our
HIST. : au monastère d'Alcobaça jusqu'en 1834 ;
en dépôt à Lisbonne à l'hôtel de la Monnaie ;
collections royales, Palacio das Necessidades,
dès 1845 ; transféré, en 1941, du Trésor public
au Museu Nacional de Soares dos Reis.

L'emploi de cette matière n'est pas anodin :
partie intégrante d'un système de
correspondances anciennes fondées sur
l'analogie, le jade était alors paré de nombreuses
vertus. Il est vraisemblable que les missionnaires
jésuites (?) qui commandèrent ces ouvrages
connaissaient ces croyances. Le travail
d'incrustation et de sertissage est caractéristique
des productions des ateliers moghols de l'époque.
Cette démarche n'est pas éloignée de l'acte de
commande de la table de communion de la
chapelle jésuite de Lahore (Londres, Victoria
and Albert Museum), dont le plateau, en bois
incrusté d'ivoire, mêle harmonieusement au
répertoire profane et courtois moghol la
symbolique christique.
T. N. T.

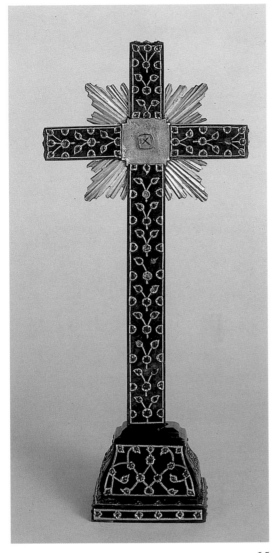

15

13. POIGNARD MOGHOL

Inde du Nord, seconde moitié du XVIIe siècle
Acier (lame), jade blanc, or, pierres précieuses
(poignée), 39,5 ; 27,7 x 3,1 (lame)
Paris, musée national des Arts asiatiques-Guimet
Inv. P. 427 (dépôt du musée du Louvre,
département des Antiquités orientales)
T. N. T.

14. *KANDJAR*, TYPE CHILANUM [NON REPR.]

Deccan de l'Ouest, milieu du XVIIIe siècle
Fer (lame), laiton, émaux, velours,
0,38 ; 0,27 x 0,09 (lame)
Paris, musée de l'Armée
Inv. J 1209
HIST. : Paris, Bibliothèque nationale, 1866.
T. N. T.

16

Morphologiquement, ce coffret est très proche du coffret en or [cat. 4]. Ses bandes d'argent offrent un répertoire ornemental combinant fleurs et oiseaux ; la serrure, de même typologie, présente un lézard.
T. N. T.

19. COFFRET

Côte de Coromandel,
fin du XVIIᵉ-début du XVIIIᵉ siècle
Écaille de tortue, ivoire, métal doré,
8,8 x 16,2 x 11,2
Saint-Louis, musée des Arts décoratifs
de l'océan Indien
Inv. 992.824

L'association de l'ivoire et de l'écaille incrustés est assez caractéristique du goût aristocratique français. Il perdurera dans la seconde moitié du siècle.
Joseph François Dupleix possédait à Pondichéry un palanquin dont la caisse, revêtue de plaques d'ivoire, présentait des rinceaux incrustés d'écaille. L'ensemble était encore relevé par des appliques (ananas et soleil) en argent repoussé. Le répertoire ornemental est puisé à la source

17

17. COFFRET-RELIQUAIRE

Indes portugaises, dernier quart du XVIᵉ siècle
Écaille de tortue, argent, 14 x 21 x 13
Lisbonne, Santa Casa da Misericórdia de Lisboa,
Museu de San Roque
Inv. 1041
HIST. : mention, dans l'inventaire de l'église d'Inaciana, daté de 1603, que ce coffret est déjà répertorié en 1588.

À la lumière des documents d'archives, cette pièce apparaît donc comme le plus ancien objet exotique en écaille recensé au Portugal.
T. N. T.

18. COFFRET-RELIQUAIRE

Indes portugaises, fin du XVIᵉ-début du XVIIᵉ siècle
Écaille de tortue, argent, 11,5 x 21,1 x 11,1
Porto, Museu Nacional de Soares dos Reis
Inv. 145 Our
HIST. : anciennes collections royales portugaises,
Palacio das Necessidades.

18

des estampes européennes, éditées à l'usage des graveurs et des ciseleurs.
T. N. T.

20. Boîte à priser

Pondichéry, deuxième quart du XVIIIᵉ siècle
Écaille de tortue, argent, nacre, 3 x 7 x 4,8
Saint-Louis, musée des Arts décoratifs
de l'océan Indien
Inv. 992.828

Les références ayant servi tant au répertoire iconographique du couvercle en nacre — « une scène figurant Hercule attaquant le lion de Némée parmi un paysage animé de ruines » — qu'aux rinceaux en argent incrusté sont directement tirées des livres de modèles alors à la mode et exportés dans les comptoirs des Indes.
T. N. T.

21. Boîte à priser

Pondichéry, deuxième quart du XVIIIᵉ siècle
Écaille de tortue, argent, nacre, 1,3 x 6,7 x 5,1
Monogramme : *E. T.*
Saint-Louis, musée des Arts décoratifs
de l'océan Indien
Inv. 995.960

19

20

21

22

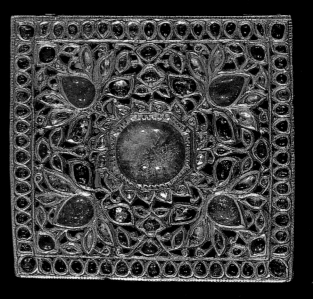

23

22. COFFRET

Pondichéry, fin du XVIIᵉ-début du XVIIIᵉ siècle
Écaille de tortue, bois exotique, bronze doré,
23 x 44,4 x 28
Saint-Louis, musée des Arts décoratifs
de l'océan Indien
Inv. 991.694

Les objets présentés [cat. 17-22] témoignent de la pérennité et de la fascination qu'exercera l'écaille sur les étrangers. La diversité des techniques utilisées révèle la maîtrise et la virtuosité acquises par les artisans indiens, ainsi que leur aptitude à intégrer des techniques étrangères (notamment celle du placage).
T. N. T.

23. BOUCLE DE CEINTURE

Jaipur (?), fin du XVIIIᵉ siècle
Or, pierres précieuses et semi-précieuses, émaux translucides et opaques (verso), 8,5 x 9 x 0,8
Collection particulière

Le joaillier Jean-Baptiste Tavernier, qui visita l'Inde en 1649, décrit en détail l'usage des gemmes les plus rares dans les bijoux, les objets, voire les meubles. Cette tradition raffinée s'est largement diffusée dans les cours râjpoutes de Jaipur, Bikaner ou Kishangarh, qui entretenaient des relations économiques et politiques suivies avec la capitale moghole. De même, la maîtrise de l'émaillage à laquelle étaient parvenus les artisans indiens, était renommée au-delà du pays. La qualité des émaux translucides de cette boucle, l'association d'émaux opaques et les nuances choisies sont caractéristiques des productions de Jaipur. Cette boucle participe donc à la fois de l'esthétique râjasthânî et de l'esthétique moghole.
T. N. T.

24. CONTADOR

Indes portugaises, Goa (?), première moitié du XVIIᵉ siècle
Teck, ébène, os, cuivre doré, 130 x 88 x 47
Paris, musée Jacquemart-André
Inv. 711

Ce cabinet peut être considéré comme une véritable création des Indes portugaises. L'adjonction d'un corps intermédiaire modifie sa structure par rapport à celle de ses homologues portugais.
Le répertoire ornemental tapissant, qui recouvre l'intégralité de la surface, apparaît comme la transposition fidèle des recueils de « mauresques » qui fleurirent à la Renaissance.

Venise puis la France et l'Allemagne accueillirent les répertoires orientaux, principalement ottomans. François Pellerin, Jean de Gourmont et Peter Flettner, pour ne citer qu'eux, publièrent de tels recueils d'ornements à la « façon arabique et ytalique ».
Le motif du pélican, qui figure sur les pieds, est une référence très claire au Christ. La légende voulait que l'oiseau se sacrifie pour nourrir ses petits en s'ouvrant le flanc d'un coup de bec, d'où l'analogie avec le Sauveur qui se laissa frapper au flanc d'un coup de lance pour répandre son sang pour le salut des hommes. Le pélican se retrouve aussi dans le *Recueil de modèles* de Vinciolo, publié à Venise en 1587 et largement diffusé en Europe. Au même titre que l'Agneau de Dieu ou les figures d'Adam et Ève, il deviendra l'un des motifs les plus populaires de l'iconographie chrétienne.
T. N. T.

24

25

25. TENTURE OU COUVRE-LIT

Indes portugaises, Goa ou Gujarat,
début du XVIIIᵉ siècle
Coton, soies, 255 x 171,5
Saint-Louis, musée des Arts décoratifs
de l'océan Indien
Inv. 991-755

26. ÉCRITOIRE PORTABLE

Ceylan, pour le marché portugais,
milieu du XVIIᵉ siècle
Teck, feuille d'or, ivoire, métal doré,
19,5 x 23,8 x 18,5
Lisbonne, Museu Nacional de Arte Antiga
Inv. 66 cx

26

Les régions du Sud de l'Inde et de Ceylan ont toujours été renommées pour la virtuosité de leurs ivoiriers. Les objets exposés témoignent d'un savoir-faire tout à fait remarquable [cat. 28] et attestent la coexistence de répertoires mixtes dans la fabrication des objets destinés aux étrangers [cat. 26-27], mêlant harmonieusement des figures empruntées aux mythologies locales à des scènes ou à des éléments occidentaux (jugement d'un prisonnier, vénerie, etc.).

T. N. T.

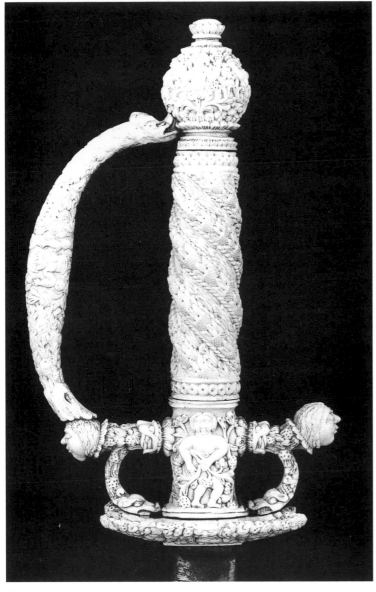

27

28

27. ÉPÉE DE VILLE

Ceylan ou Inde du Sud, pour le marché européen, début du XVIIIᵉ siècle
Acier (lame), ivoire (garde), galuchat, argent (fourreau), 9,05 ; 7,25 x 1,10 (lame)
Paris, musée de l'Armée
Inv. J 307
HIST. : Paris, Bibliothèque nationale.

28. PIED DE TRÔNE
(fait partie d'une série de quatre)

Mysore, XVIIᵉ-XVIIIᵉ siècle
Ivoire, 38
Nice, musée des Arts asiatiques
Inv. 97-4

29. TENTURE OU COUVRE-LIT

Bengale, pour le marché portugais, vers 1600-1630
Toile de coton, broderie de soie, 304 x 250
Paris, Association pour l'étude et la documentation
des textiles d'Asie
Inv. 3930

Il est possible que cette pièce ait été réalisée pour commémorer une victoire ou un traité d'alliance, comme pourraient le suggérer le décor du médaillon central avec les personnages assis et les écoinçons où sont représentées des scènes de bataille opposant des Occidentaux et des Orientaux. L'hypothèse de la représentation de l'aède grec Orion dans le premier anneau concentrique doit être ici abandonnée. Mais l'on sait que les navigateurs de l'époque considéraient les dauphins comme de bon augure. Nés, selon la légende, des marins tombés en mer, ils symbolisaient la renaissance et étaient censés guider les navires vers les vents favorables — figurés par le personnage ailé qui tient une voile entre ses mains — pour rentrer à bon port ou encore échapper aux tempêtes et aux dangers des océans — représentés par les figures assises sur des poissons qui nagent à contre-courant et jouent de la harpe, associés à la tentation et donc au mauvais chemin.
Le reste du répertoire illustre des scènes de vénerie, reflétant la vie des seigneurs lorsqu'ils ne guerroyaient pas ou celle des Occidentaux quand ils ne commerçaient pas.
T. N. T.

30. TABLE D'ESTRADE [REPR. P. 43]

Indes portugaises, Goa, pour le marché portugais, première moitié du XVIIᵉ siècle
Teck, ébène, ivoire, 46,5 x 57,7 x 42
Lisbonne, Museu Nacional de Arte Antiga
Inv. 1290 mov

Les proportions de cette table, assez basse, révèlent son origine islamique, comme l'ensemble de son décor, composé exclusivement de figures géométriques qui se répartissent selon des axes symétriques, en développement tapissant. L'utilisation des cercles concentriques et sécants est attestée en Inde de l'Ouest bien avant l'arrivée des Portugais.
T. N. T.

31. TAPIS

Inde ou Nord de la Perse, début du XVIIᵉ siècle
Laine polychrome, 660 x 290
Lyon, musée historique des Tissus
Inv. 25.095

Ce tapis appartient à un petit groupe de tapis dits « portugais », en raison de son décor dans les écoinçons du médaillon central dentelé, représentant une scène maritime avec des vaisseaux occidentaux. Plusieurs hypothèses ont été avancées pour expliquer le caractère pittoresque de ces scènes. Peut-être convient-il seulement d'y voir une représentation des dangers qu'incarnaient les océans à une époque où ces périples étaient particulièrement risqués et toujours incertains. L'océan Indien était encore perçu comme la « mer des Ténèbres ».
N'oublions pas que la dernière encyclopédie zoologique de la Renaissance, publiée par Jonston en 1653, recopiera encore les textes et les illustrations de ses prédécesseurs, rendant compte, en cela, de la persistance des croyances en ces monstres et ces animaux fabuleux censés habiter les mers.
T. N. T.

31

31 (détail)

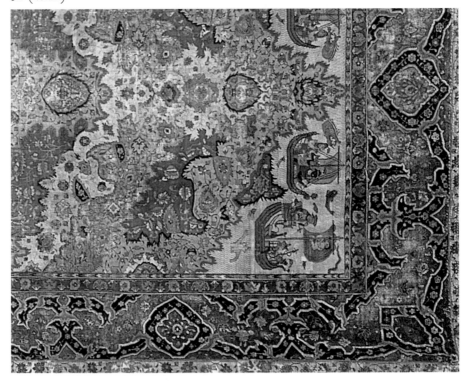

32

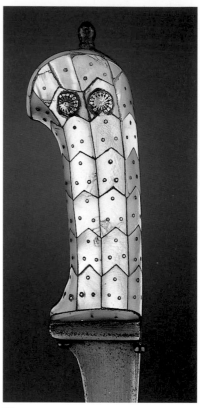

33

32. CORNE À POUDRE

Inde du Nord, XVIIᵉ-XVIIIᵉ siècle
Corne, nacre, argent, ivoire, métal, 12,8 x 12
Paris, collection Krishna Riboud

33. DAGUE

Gujarat (?), XVIIᵉ siècle
Poignée nacre, argent, lame acier,
43 ; 13,5 (poignée)
Paris, collection Krishna Riboud

34. COUPE

Gujarat, seconde moitié du XVIIᵉ siècle
Nacre, argent, métal, 20 (diam.)
Copenhague, Nationalmuseet, Ethnografisk Samling
Inv. NO4 Ebc 68
HIST. : collections royales danoises ; première
mention dans l'inventaire de 1674.

À la lumière des découvertes archéologiques,
l'origine de l'emploi de la nacre semble
chinoise. Elle aurait gagné les régions de l'Asie
Mineure et de l'Orient islamique par la route
de la soie, ce que confirment les sources indo-
persanes. Elle était travaillée essentiellement
dans le Nord et l'Ouest de l'Inde (Nord
du Gujarat : Ahmedabad, Cambay, Surate) selon
deux techniques : le collage sur des résines
ou sur de la laque (technique importée) et le
cloutage (technique indienne). Ce commerce
paraît avoir été aux mains des commerçants
ottomans. Les pièces parvenues en Occident
relèvent de deux goûts différents, selon qu'il
s'agit de pièces conçues initialement pour
le marché ottoman ou pour le marché européen.
Les orfèvres européens (Nuremberg) se feront

une spécialité de ces travaux, largement embellis
de montures précieuses, destinés aux cabinets
de curiosités. La demande européenne semble
se tarir au XVIIIᵉ siècle.
T. N. T.

35. PICHET

Portugal, milieu du XVIᵉ siècle
Argent, dorure, 16 x 12,7
Marques : poinçon de Lisbonne,
seconde moitié du XVIᵉ siècle ; *LB*, non identifié
Lisbonne, Museu Nacional de Arte Antiga
Inv. 255

La forme du pichet est empruntée au
répertoire timuride. Son origine n'a jamais
été élucidée. S'agit-il d'une pièce œuvrée en Inde
ou au Portugal ? La technique d'attache de
l'anse, en forme de dragon, la forme et la
conception semblent être européennes.
Le décor de rinceaux sur la panse et le couvercle
appartient au répertoire traditionnel indo-
musulman mais la composition est organisée
avec moins de rigueur que sur les pièces

destinées au marché islamique ; le parti constructif géométrique fait ici défaut, ce qui pourrait indiquer que l'œuvre a bien été réalisée au Portugal par l'un des nombreux orfèvres indiens qui y étaient installés.
T. N. T.

36. PANNEAU LATÉRAL D'UN COFFRE

Deccan (?), pour le marché européen,
fin du XVIᵉ siècle
Teck, 39 x 61,5
Saint-Louis, musée des Arts décoratifs
de l'océan Indien
Inv. 997-1033

37. PANNEAU AVANT D'UN COFFRE

Deccan (?), fin du XVIᵉ siècle
Teck, 39 x 129,5
Saint-Louis, musée des Arts décoratifs
de l'océan Indien
Inv. 997-1034

Ces deux panneaux fragmentaires [cat 36-37] proviennent d'un même coffre, à l'origine vraisemblablement polychrome. Ils dénotent une influence occidentale dans la composition, inspirée des gravures européennes des années 1530-1540. Mais le traitement des rinceaux — des queues de tritons se terminant par des gueules de monstres — ou des petits animaux (écureuils et mangoustes), ainsi que celui des pampres attestent une exécution indienne sous influence islamique.
T. N. T.

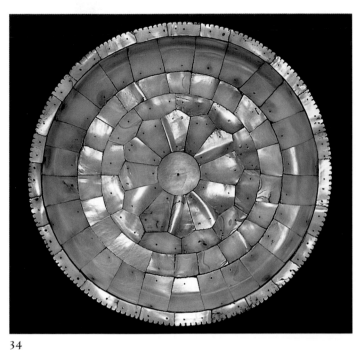

34

35

37

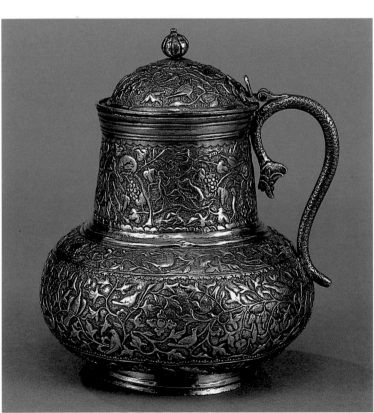

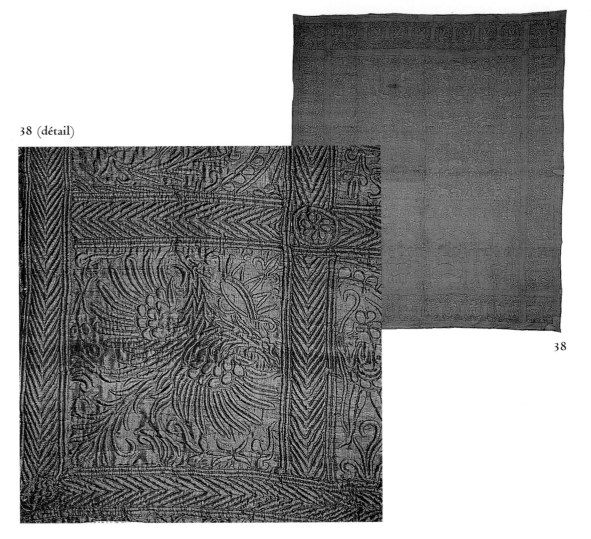

38 (détail)

de l'époque. On remarque toutefois que deux vaisseaux battent pavillon turc et que les personnages enturbannés rappellent les figures des « Maures » telles qu'on les représentait dans l'art pariétal italien de la fin du XVIe siècle, comme, par exemple, celles peintes sur les retombées des voûtes du corridor oriental des Uffizi à Florence, achevées en 1588.

On sait, d'une part, que les relations entre les villes commerçantes d'Italie et Lisbonne étaient intenses et qu'une importante communauté italienne résidait à Lisbonne ; d'autre part, les récits de Vasco de Gama attestent leur présence aux Indes portugaises, sur la côte de Malabar.

T. N. T.

38

39. COFFRE

Inde du Nord, pour le marché suédois,
seconde moitié du XVIe siècle
Bois de satin, ivoire, métal, 62 x 110 x 62
Marques : armoiries du baron Clas Fleming
et de son épouse, Ebba Stembock ; *1570*
Stockholm, Nationalmuseum
Inv. NM Kvh 277/1907
HIST. : collections royales suédoises.

Clas Fleming épousa en 1573 Ebba
Stembock, la sœur de Catherine, épouse
de Gustave Vasa 1er de Suède. Clas Fleming

38. TENTURE OU COUVRE-LIT

Côte de Malabar, pour le marché italien (?),
fin du XVIe siècle (?)
Coton, soie, 376 x 325
Saint-Louis, musée des Arts décoratifs
de l'océan Indien
Inv. 996-1022

Cette pièce appartient à un petit groupe d'œuvres mal connues, dont l'exécution outre-mer ne fait par ailleurs aucun doute. La composition centrale s'organise à l'intérieur de bordures rythmées d'arcatures que l'on retrouve sur des tapisseries européennes de la fin du XVIe siècle.

L'iconographie présente des scènes de vénerie — combinant animaux réels européens, exotiques et fantastiques — et une scène maritime — probablement un combat naval —, qui apparaissent comme des thèmes récurrents

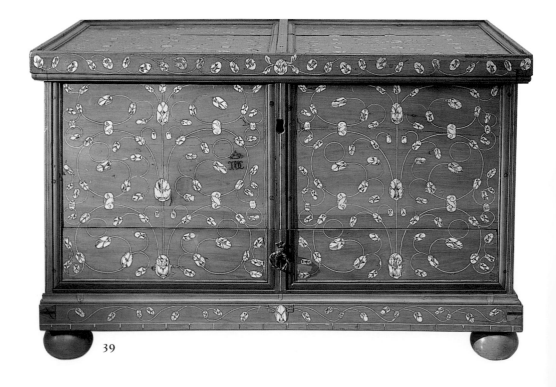

39

mourut en 1597, son épouse en 1614. Morphologiquement et structurellement, ce coffre reproduit fidèlement un modèle de coffret miniature en métal, germanique ; l'on peut supposer l'envoi d'un tel coffret pour servir de modèle aux artisans indiens. Le décor de rinceaux incrustés en ivoire, de style moghol, est très proche des traitements de sol en pierre incrustée (par exemple au hammam du fort rouge de Delhi) ou encore du répertoire floral présent sur les tapis de l'époque, dont le fragment de velours exposé ici est un bel exemple [cat. 40].

T. N. T.

41. CATHÈDRE

Inde du Nord, pour le marché suédois, seconde moitié du XVIᵉ siècle
Bois, ivoire, nacre, 128,5 x 56,5
Inscription : *Cathar Stembock Reg*
(Catharina Stembock Regina), *1580*
Stockholm, Uppsala (dépôt au Nationalmuseum)
Inv. UU sn
HIST. : anciennes collections royales suédoises.

Chacun de ces meubles [cat. 39-41] est un *unicum*. Ils illustrent l'efficacité des réseaux commerçants qui liaient la Suède à l'Inde du Nord, en passant par l'Allemagne, Anvers et Lisbonne jusqu'à Goa. La hauteur de ce siège laisse supposer l'existence d'un marchepied à l'origine, comme l'atteste, par ailleurs, l'étude détaillée des pieds de la cathèdre (traces de fixation).

T. N. T.

40

40. FRAGMENT DE VELOURS

Inde, XVIIᵉ siècle
Soie, filé d'argent, velours façonné coupé,
fond lamé lancé, 20 x 121
Paris, Association pour l'étude et la documentation
des textiles d'Asie
Inv. 3490

Parmi les textiles de qualité impériale attribués, au XVIIᵉ siècle, à une production indienne, on compte un ensemble remarquable de velours façonnés. Leur tissage complexe, au décor produit tant par des soies polychromes que des fils métalliques, a déjà été perfectionné durant la période iranienne safavide, à la fin du XVIᵉ siècle.

M.-H. G.

41

43

42. MIROIR DE VOYAGE (?) [NON REPR.]

Indes néerlandaises, premier tiers du XVIIIe siècle
Argent, 12 (diam.)
La Haye, collection Jan Veenendaal
HIST. : ancienne collection Noë, Jakarta.

Glaces et miroirs figuraient parmi les biens
matériels les plus prisés et les plus
convoités outre-mer. On ne savait pas étirer
le verre comme en Europe et les conditions
de transport, comme la fragilité inhérente
au matériau, expliquent que ces articles aient été
extrêmement onéreux.
Si l'affectation de cet objet demeure
hypothétique mais crédible, on sait aussi qu'il
existait des objets similaires, également en
argent, que l'on plaçait derrière une source
lumineuse pour intensifier et refléter sa lueur.
J. V. et T. N. T.

44

43. BANQUETTE

Nagapatam, pour le marché néerlandais, 1670-1690
Caliatour (bois de santal rouge), 87 x 113 x 76
Port Louis, musée de la Compagnie des Indes
Inv. 1975-1-35/AF 3345 (dépôt de musée national
des Arts d'Afrique et d'Océanie, Paris)
HIST. : ancienne collection Gabriel Jouveau-Dubreuil ;
donné en 1931 au musée de la France d'outre-mer,
Paris.

44. PALAMPORE

Masulipatnam, pour le marché néerlandais,
premier tiers du XVIIIe siècle
Coton peint, 310 x 225
Saint-Louis, musée des Arts décoratifs
de l'océan Indien
Inv. 998-1063

45. CHAISE

Java, avant 1650
Djati (teck), cannage
Leyde, Rijksmuseum voor Volkenkude
Inv. 907-1
HIST. : aurait appartenu au sultan de Solor,
qui l'offrit à un dirigeant de la VOC à Tebukan
vers 1650.

Une chaise similaire, conservée à
l'Ashmolean Museum d'Oxford, provient
des collections de Charles II d'Angleterre.
Ce meuble appartenait à son épouse, Catherine
de Bragance, princesse du Portugal, qui l'apporta
avec ses effets en 1661.
Ces modèles, au décor en léger relief, semblent
s'inspirer de l'art du métal, comme le laisse
supposer le traitement apporté au fond entre
les rinceaux fleuris.
T. N. T.

46. LANTERNE D'APPARAT [REPR. P. 64]

Indes portugaises, Goa ou Batavia (?), pour le marché
européen, fin du XVIIIe siècle
Bois, laque, dorure, 73 x 48 x 48 (base)
Saint-Louis, musée des Arts décoratifs
de l'océan Indien
Inv. 988.502

Il s'agit d'un travail réalisé dans un atelier
chinois. On sait que des artisans chinois
étaient installés à Goa, Batavia et même
à Cochin. Les gravures de l'époque confirment

l'usage de telles lanternes tant à Batavia qu'à Goa. Si les personnages représentés sont bien européens, comme l'atteste le port du chapeau à larges bords, leur nationalité reste incertaine.
T. N. T.

47. CHAISE

Côte de Coromandel, pour le marché européen, 1650-1680
Ébène, cannage, 93 x 49 x 45
Inscription : caractères tamouls gravés sur les tenons
La Haye, collection Jan Veenendaal

La correspondance des employés de la VOC atteste la densité des artisans en menuiserie, disséminés sur toute la côte de Coromandel depuis le Tamil Nadu jusqu'à l'Andhra Pradesh, où abondaient les bois précieux. La qualité de leurs ouvrages et la modicité relative des coûts étaient réputées. Bien que l'ébène semble avoir connu plus de faveur à partir de 1660, on l'utilisait déjà au début du XVIIᵉ siècle, avec le teck, le caliatour et les diverses variétés de palissandre.
T. N. T.

48. TABLE

Côte de Coromandel, pour le marché européen, seconde moitié du XVIIᵉ siècle
Ébène, 69,5 x 95 x 61
La Haye, Haags Gemeentemuseum
Inv. OH-7-1938

Le plateau dépourvu de décoration de cette table atteste qu'elle était utilisée comme support d'un grand cabinet.

45

47

48

49. FRAGMENT D'INDIENNE

Côte de Coromandel, pour le marché européen,
seconde moitié du XVIIIe siècle
Coton peint et teint, 177 x 82
Saint-Louis, musée des Arts décoratifs
de l'océan Indien
Inv. 991.747

49

50

50. CHAISE

Inde du Sud, pour le marché européen,
seconde moitié du XVIIe siècle
Ébène, cannage, 72 x 54 x 46
La Haye, collection Jan Veenendaal

La figure de sirène ailée se retrouve sur d'autres meubles, parfois associée à la représentation d'Adam et Ève. Il semble qu'elle ait une valeur protectrice. Ce type de répertoire mixte, alliant le répertoire mythologique local aux sources occidentales, paraît être le fait d'artisans hindous convertis au catholicisme. T. N. T.

51. MÉDAILLE

Indes néerlandaises, 1685
Or, 8 x 6,4
Inscription : *Adriaen Jacob van Dielen, op Nagapatnam*
gebooren den 21 en october A° 1685 (Adrien Jacob
van Dielen, né à Nagapatam, 21 octobre 1685) ;
au revers : armoiries
Amsterdam, Rijksmuseum
Inv. NG-81
HIST. : ancienne collection Cultuurgeschiedenis Van
De Nederlanders Overzee.

51

52

52. CABINET MINIATURE

Côte de Coromandel, milieu du XVIIᵉ siècle
Ivoire, argent, 29,5 x 32,5 x 22,5
Amsterdam, Rijksmuseum
Inv. BK-1975-113
HIST. : ancienne collection Cultuurgeschiedenis
Van De Nederlanders Overzee.

53. *SCHOETEL* (PLAT À HUIT LOBES)

Côte de Coromandel, seconde moitié du XVIIᵉ siècle
Argent, 46 (diam.)
La Haye, collection Jan Veenendaal

Les motifs de fleurs, traités en semi-relief, semblent avoir été en faveur entre 1680 et 1720. Cet engouement pour la représentation de fleurs aux pétales chantournés est à mettre en relation avec la « tulipomanie », qui régna dans toute l'Europe et que La Bruyère ridiculisa dans ses *Caractères* en 1691. Nombre de plats similaires ne portent pas de poinçon, ce qui accrédite l'hypothèse d'une fabrication sur la côte de Coromandel — les inventaires de la VOC les désignent comme « travail de la côte ». Ceux réalisés par les orfèvres indiens de Batavia étaient poinçonnés.
T. N. T..

54. COUPE À PIED

Batavia, vers 1725-1729
Argent, 9 x 14 (diam.)
Marques : *DV* (Dirk Voogt, poinçon de Batavia) ;
W (1725-1729 ou 1695-1699)
La Haye, collection Jan Veenendaal

Dans le Nord des Pays-Bas, ce type de coupe était utilisé pour boire du brandy, à l'occasion de la naissance d'un enfant. On ignore si cet usage a été maintenu à Batavia où les exemplaires connus possédaient des couvercles.
J. V.

53

54

55

57

56

58

55. CASSETTE À BÉTEL

Indonésie, milieu du XVIIIᵉ siècle
Bois d'amboine, argent, 6 (environ) x 18 x 7
La Haye, collection Jan Veenendaal

56. CASSETTE À BÉTEL

Inde du Sud, dernier tiers du XVIIIᵉ siècle
Écaille de tortue, argent, 6 (environ) x 18 x 7
La Haye, collection Jan Veenendaal

57. CASSETTE À BÉTEL

Indes néerlandaises, seconde moitié du XVIIIᵉ siècle
Ivoire, argent, 6 x 18 x 7
La Haye, collection Jan Veenendaal

58. CASSETTE À BÉTEL

Indes néerlandaises, fin du XVIIIᵉ-début du XIXᵉ siècle
Ébène, argent, 6 (environ) x 18 x 7
La Haye, collection Jan Veenendaal

Ces cassettes [cat. 55-58] renfermaient tous les ingrédients nécessaires à la mastication du bétel. Les dames de haut rang étaient accompagnées par une esclave, *Statie slavin*, spécialement habilitée à porter ces objets. Selon les codes sociaux en usage, le traitement de ces cassettes, avec les applications décoratives sur des matériaux précieux, témoignait de la richesse des propriétaires.
J. V.

59 BIS

61

62

59-59 BIS. JAN BRANDES

> Indes néerlandaises, 1778-1785
> Recueils d'aquarelles
> I : 90 aquarelles, II : 146 aquarelles, 19,8 x 15,7
> (feuille)
> Amsterdam, Rijksmuseum
> Inv. NG 1985-7 1-2

Jan Brandes (1743-1808), pasteur luthérien, était également dessinateur. Il s'embarqua en mai 1778 pour Batavia, où il demeura six ans. Ces aquarelles traitent divers sujets, de l'ornithologie, l'entomologie et la botanique aux scènes de la vie sociale croquées sur le vif, en passant par les portraits et les relevés architecturaux et topographiques.
T. N. T.

60. FAUTEUIL *BURGOMEISTER* [REPR. P. 57]

> Indes néerlandaises, pour le marché européen,
> fin du XVIIe-début du XVIIIe siècle
> Bois de satin, cannage, 85,5 x 74,5 (diam. dossier)
> Saint-Louis, musée des Arts décoratifs
> de l'océan Indien
> Inv. 996.1027

61. FAUTEUIL *BURGOMEISTER*

> Indes néerlandaises, pour le marché européen,
> fin du XVIIe siècle
> Palissandre, cannage, 67 x 70 (diam. dossier)
> Saint-Louis, musée des Arts décoratifs
> de l'océan Indien
> Inv. 998.1094

62. FAUTEUIL *BURGOMEISTER*

> Indes néerlandaises, pour le marché européen,
> 1750-1760
> Palissandre, cannage, 85,5 x 74,5 (diam. dossier)
> La Haye, Haags Gemeentemuseum
> Inv. OH-6a-1936

L'origine de ces fauteuils n'est pas clairement établie. Dans les colonies de peuplement français de l'océan Indien (île de France, île Bourbon), on les retrouve dès la fin du XVIIe siècle [cat. 61], importés depuis la côte de Coromandel et toujours en pièce isolée. L'étude comparative avec les meubles indiens anciens nous autorise à voir là un cas rarissime de répertoire formel passant de l'est à l'ouest. Toutefois, les Occidentaux n'ont pas compris, ni su lire, la symbolique inhérente à ce fauteuil-trône. Ce décalage a permis des enrichissements formels et des variations, dont deux exemples sont proposés ici [cat. 62-63].
T. N. T.

65

des dessins de l'ornemaniste Daniel Marot, réfugié de confession huguenote, et attestent la remarquable diffusion du goût aristocratique français dans les pays nordiques et son écho outre-mer.

T. N. T.

66. TENTURE OU COUVRE-LIT

Golconde, pour le marché néerlandais (?), vers 1650
Coton peint et teint, 274 x 194
Paris, musée de la Mode et du Textile
Inv. 12132
HIST. : ancienne collection Collinot ;
donné au musée des Arts décoratifs en 1905.

Il s'agit vraisemblablement de la représentation d'une ambassade (commerciale ?) hollandaise à Golconde. La VOC avait établi un important comptoir à Pulicat en 1614. Et l'on sait que plusieurs ambassades, déléguées entre 1649 et 1652 auprès de Mîr Jumlah, Premier ministre du souverain de Golconde, furent couronnées de succès et obtinrent les firmans tant convoités qui leur permettaient de commercer.

T. N. T.

63. PALAMPORE [REPR. P. 15]

Côte de Coromandel, première moitié du XVIIIᵉ siècle
Coton peint, teint et imprimé, 245 x 182
Saint-Louis, musée des Arts décoratifs
de l'océan Indien
Inv. 991. 74 4

64. BERCEAU [REPR. P. 62]

Ceylan, pour le marché néerlandais,
seconde moitié du XVIIᵉ siècle
Ébène, 71,5 x 97,5 x 57,5
La Haye, Haags Gemeentemuseum
Inv. OH-4-1938

65. TABLE EN CONSOLE

Cochin, pour le marché européen,
fin du XVIIᵉ-début du XVIIIᵉ siècle
Teck, polychromie, traces de dorure, marbre,
74 x 106 x 56
Port Louis, musée de la Compagnie des Indes
Inv. 1975-1-4/AF 3289 (dépôt du musée national
des Arts d'Afrique et d'Océanie, Paris)
HIST. : ancienne collection Gabriel Jouveau-Dubreuil ;
donné en 1931 au musée de la France d'outre-mer,
Paris.

polychrome ou naturel, ces tables dérivent d'un modèle français dessiné par Charles Le Brun pour le mobilier d'argent de Louis XIV, mettant au goût français le modèle italien initial. Toutefois ces consoles sont plus proches

La typologie de cette table en console est bien connue. Plusieurs exemplaires, de même inspiration, sont répertoriés, tant aux Pays-Bas qu'en Indonésie. En bois doré,

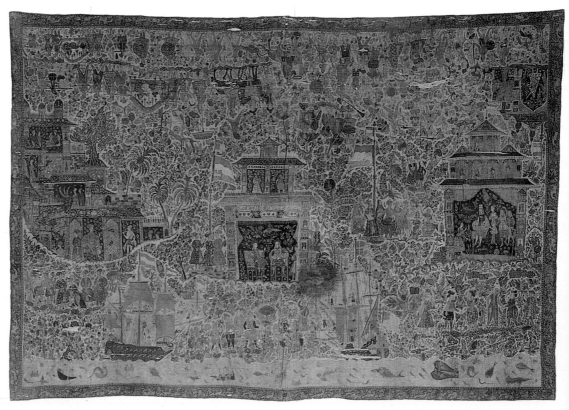

66 (détail à droite)

67

67. CONSOLE D'APPLIQUE

Pondichéry, pour le marché français, 1690-1720
Teck, dorure, 30 x 30 x 15 (plateau)
Saint-Louis, musée des Arts décoratifs
de l'océan Indien
Inv. 990-684

68-79. BRIQUES

Bengale, XVIIe-XIXe siècle

68. SCÈNE DE PALAIS [NON REPR.]

20 x 15 x 3,8
Paris, Musée national des Arts asiatiques-Guimet
Inv. MA 5111

69. CHAR TIRÉ PAR UN CHEVAL

19,5 x 41,2 x 6
Saint-Louis, musée des Arts décoratifs
de l'océan Indien
Inv. 990-629 a-b

70. VAISSEAU REMONTANT UN FLEUVE (FRAGMENT) [NON REPR.]

18,2 x 22 x 6,5
Saint-Louis, musée des Arts décoratifs
de l'océan Indien
Inv. 988-388

71. MUSICIENS SUR UN CHAMEAU [NON REPR.]

16,2 x 20,6 x 4,2
Saint-Louis, musée des Arts décoratifs
de l'océan Indien
Inv. 988-479 ₃

72. BATEAU À ROUE À AUBE [NON REPR.]

17 x 18,7 x 6,6
Saint-Louis, musée des Arts décoratifs
de l'océan Indien
Inv. 988.427

73. CAVALIER [NON REPR.]

16,5 x 18,5 x 3,5
Saint-Louis, musée des Arts décoratifs
de l'océan Indien
Inv. 988. 479.1

74. ÉLÉPHANT MONTÉ [NON REPR.]

16 x 21 x 3,4
Saint-Louis, musée des Arts décoratifs
de l'océan Indien
Inv. 988.479.2

75. DEUX FANTASSINS [NON REPR.]

16,2 x 19 x 3,4
Saint-Louis, musée des Arts décoratifs
de l'océan Indien
Inv. 988. 480.1

69

76. Trois fantassins [non repr.]

16,2 x 14,1 x 3,8
Saint-Louis, musée des Arts décoratifs
de l'océan Indien
Inv. 988.480.2

77. Femme nourrissant un faon [non repr.]

17,2 x 19,2 x 7,8
Saint-Louis, musée des Arts décoratifs
de l'océan Indien
Inv. 988.480.3

78. Trois femmes [non repr.]

15,8 x 17,2 x 6,5
Saint-Louis, musée des Arts décoratifs
de l'océan Indien
Inv. 988.480.4

79. Krishna enfant

19,5 x 23 x 5,3
Saint-Louis, musée des Arts décoratifs
de l'océan Indien
Inv. 988.480.5

79

Ces briques en terre cuite moulée proviennent de plusieurs temples construits du XVIIᵉ au XIXᵉ siècle au Bengale. Les décors ornant les façades de ces temples puisent leurs sources dans la littérature en langue vernaculaire qui demeure la véritable expression culturelle bengalie. Ils figurent des scènes tirées du *Râmâyana* de la *Krishnalîlâ* ou du *Mahâbhârata*. À côté, on trouve des scènes à caractère plus profane contant des divertissements, des épisodes de chasse ou des équipées nautiques, où les étrangers sont souvent représentés et facilement reconnaissables à leurs costumes stéréotypés, à leur chapeau ou à leurs armes à feu.
T. N. T.

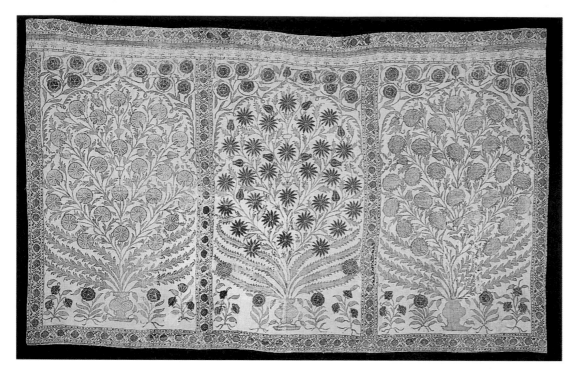

80

81 (détail à droite)

80. FRAGMENT DE QANAT

Burhanpur (?), fin du XVIIᵉ-début du XVIIIᵉ siècle
Toile de coton peint, teint et imprimé par réserve
au mordant et à la cire (?), 106 x 172
Paris, Association pour l'étude et la documentation
des textiles d'Asie
Inv. 2604, MA 5714

Ce fragment de *qanat* (toile de tente) offre
un décor de style islamique en trois
panneaux. Dans chacun d'eux, sous une niche en
forme d'arc, une plante jaillit d'un vase chinois.
Ce décor est à la fois peint, teint et imprimé.
M.-H. G.

81. CABINET

Inde du Nord, seconde moitié du XVIIᵉ siècle
Palissandre, ivoire, os teinté, mica, métal doré,
42,5 x 69 x 49
Saint-Louis, musée des Arts décoratifs
de l'océan Indien
Inv. 998.1064

La similitude formelle des cabinets présentés
ici [cat. 81-87] atteste que ces formes
ont existé simultanément à l'est et à l'ouest :
la forme existe en Chine dès le XIIIᵉ siècle et
également en Europe méridionale au Moyen Âge.
Les cabinets à deux battants servaient plus
spécialement au rangement d'objets de valeur,
alors que ceux possédant un abattant pouvaient
servir de coffre à écrire. Une fois de plus, on
mesure l'influence prépondérante du répertoire
textile dans les frises des bordures ou sur les
panneaux [cat. 80]. Les techniques
sophistiquées d'incrustation,
introduites par les musulmans [cat. 82], ou le
goût raffiné, d'obédience persane, qui régnait
encore à la cour moghole [cat. 83], rivalisent
avec les solutions décoratives propres à l'Inde
du Sud et à Ceylan [cat. 85-87].
T. N. T.

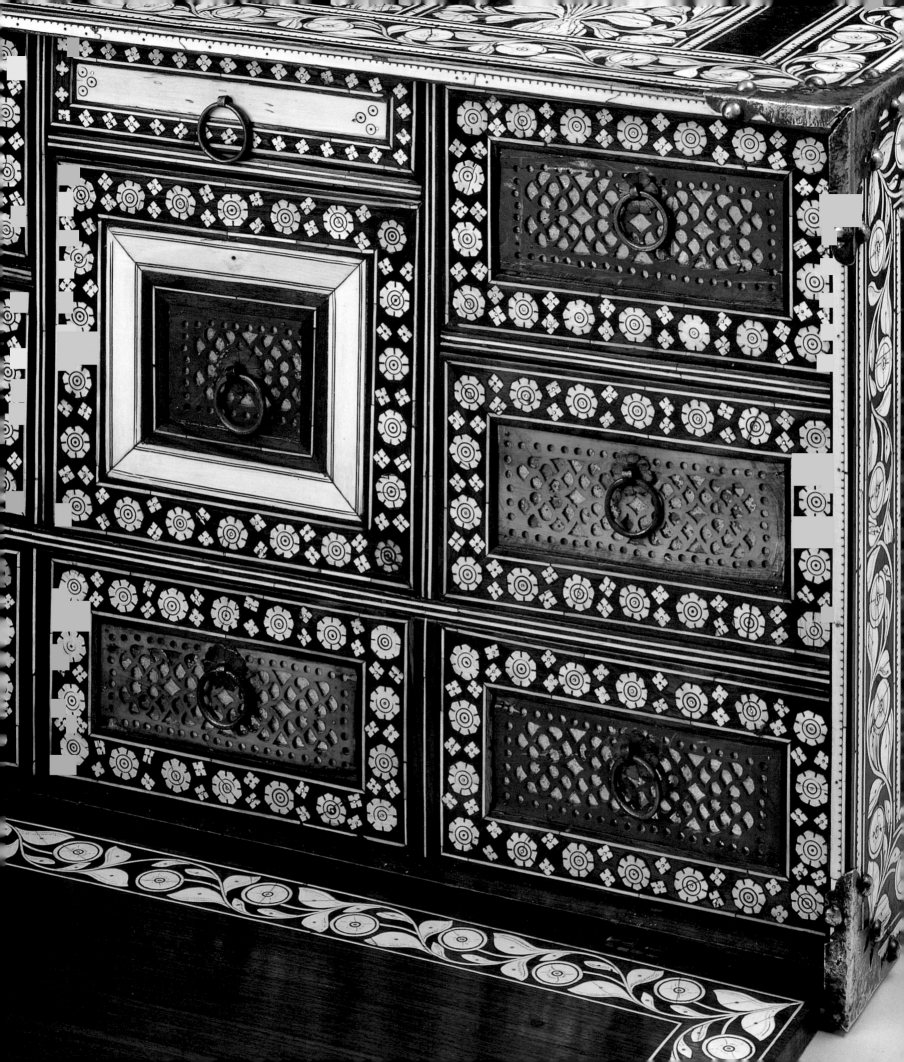

82

82. CABINET MINIATURE

Inde du Nord, milieu du XVIIᵉ siècle
Teck, ivoire, bois exotiques, 28 x 39 x 26
Paris, musée des Arts décoratifs
Inv. 15325

83. CABINET MINIATURE [REPR. P. 11]

Inde du Nord, milieu du XVIIᵉ siècle
Teck (?), ivoire naturel et teinté, bois exotiques,
28 x 39 x 26
Copenhague, Nationalmuseet, Ethnografisk Samling
Inv. EDc 68
HIST. : collections royales danoises ;
première mention dans l'inventaire de 1674.

84. CABINET MINIATURE

Sind, première moitié du XVIIᵉ siècle
Teck, ébène, bois exotiques, ivoire naturel et teinté,
métal doré, 28 x 39 x 26
Lisbonne, Fundação Ricardo do Espirito Santo Silva
Inv. 46

85. CABINET MINIATURE [REPR. P. 60]

Ceylan ou côte de Coromandel, dernier tiers
du XVIIᵉ siècle
Bois exotiques, ivoire, argent, 17,5 x 24,5
Collection particulière

86. CABINET MINIATURE [REPR. P. 61]

Ceylan ou Inde du Sud,
première moitié du XVIIᵉ siècle
Ébène, ivoire, argent, 29,7 x 40,2 x 25,2
Paris, musée national des Arts asiatiques-Guimet
Inv. MA 5262

La représentation d'Adam et Ève au Paradis terrestre est interprétée d'après une gravure européenne. Il est intéressant de constater que ces cabinets furent exécutés outre-mer lorsque la vogue des cabinets à peintures fleurissait dans les Pays-Bas méridionaux.
Mille légendes extraordinaires circulaient au sujet des sirènes et il faudra attendre Georges Cuvier, à la fin du XVIIIᵉ siècle, pour que le mythe des tritons et des sirènes soit battu en brèche. On leur accordait depuis la Renaissance

une nature généreuse. Dans le contexte particulier de ce cabinet, il est possible que leur présence soit à interpréter comme le contrepied du serpent, ravisseur d'immortalité.
L'analogie avec les *nâginî*, qui offrent des dons magiques à ceux qui les vénèrent et guérissent des maux (excepté les piqûres de serpents), ajoute à l'ambivalence de l'objet qui mêle plusieurs répertoires ornementaux et symboliques.
T. N. T.

87. CABINET MINIATURE [REPR. P. 59]

Ceylan, pour le marché néerlandais,
seconde moitié du XVIIᵉ siècle
Teck, ébène, laiton, 44 x 47 x 31
La Haye, collection Jan Veenendaal

84

88. BUREAU [REPR. P. 78]

    Vizagapatam, pour le marché européen, vers 1780
    Bois exotique, ivoire, 78 x 85 x 42
    Paris, musée des Arts décoratifs
    Inv. 26068

Vizagapatam, sur la côte Est, était un centre réputé spécialisé dans la fabrication de meubles en teck ou en palissandre, enrichis de plaques d'ivoire gravées et laquées où l'on retrouve, en frise, des bordures de fleurs stylisées empruntées au répertoire textile. La renommée de ces productions était telle qu'on retrouve ces meubles et objets dans tous les comptoirs européens.
T. N. T.

89. ANONYME [REPR. P. 70]

    Calcutta, 1777-1783
    Lady Impey choisissant un chapeau
    Gouache sur papier, 45,7 x 53,3
    Oxford, collection famille Impey

90. ANONYME [REPR. P. 72]

    Calcutta, 1777-1783
    La Nurserie Impey
    Gouache, 35,6 x 53
    Oxford, collection famille Impey

91

91. LIT

Nagapatam, pour le marché français,
début du XIXᵉ siècle
Teck, polychromie, dorure, 250 x 211,1 x 136
Inscription : *nagâppattanam vîrapattiram küvalai
routtrôkâri taï* (en tamoul : œuvre exécutée par
Vîrapattiram de Nagapatam, mi-janvier, mi-février
1804)
Port Louis, musée de la Compagnie des Indes
Inv. 1975-1-39 (dépôt du musée national des Arts
d'Afrique et d'Océanie, Paris)
HIST. : ancienne collection Gabriel Jouveau-Dubreuil ;
donné en 1931 au musée de la France d'outre-mer,
Paris.

Cette pièce étonnante participe de plusieurs
influences stylistiques. Structurellement,
elle est très proche des dais représentés dans
les peintures de l'école de Tanjore ; on peut la
rapprocher des sièges d'apparat. Le répertoire
ornemental avec ses décors de rinceaux, ses
volutes de feuillages et ses cercles évidés
appartient incontestablement à cette tradition
locale.

En revanche, le traitement des colonnettes
cannelées se terminant par un petit chapiteau
corinthien, les pots à feu qui les somment et qui
rythment le dôme sont autant d'échos du goût
néo-classique alors à la mode en Europe et dans
ses possessions d'outre-mer. Quant aux trompe-
l'œil, sur les joues, on peut se demander si la
technique usitée avec l'ombrage artificiel n'est
pas empruntée à l'art de la marine.
T. N. T.

92. ANONYME [NON REPR.]

Delhi, vers 1820
Sir David Ochterlouy assistant à un spectacle
Gouache sur papier, rehauts d'or, 25,5 x 35,6
Londres, British Library, Oriental and India
Office Collections
Inv. Add. Or. 2

93. ATTRIBUÉ À DIP CHAND [NON REPR.]

Patna, vers 1764
Ashraf Ali Khan
Gouache sur papier, 23,9 x 16,9
Londres, British Library, Oriental and India
Office Collections
Inv. Add. Or. 736

Ashraf Ali Khan était le frère de lait
de l'empereur Ahmed Shâh. Il vécut à Patna
jusqu'à sa mort en 1792.

94. Attribué à Dip Chand [Non repr.]

Patna, vers 1764
Une dame indienne
Gouache sur papier, 23,9 x 16,2
Londres, British Library, Oriental and India
Office Collections
Inv. Add. Or. 735

Il s'agit vraisemblablement du portrait d'une courtisane, nommée Mata Bhaî.

95. Anonyme [Non repr.]

Lucknow, vers 1780
Portrait d'Asaf-ud-daula
Gouache sur papier, 20,9 x 13,3
Londres, British Library, Oriental and India
Office Collections
Inv. Add. Or. 476

Le portrait de ce nabab d'Oudh (1775-1797) aurait été exécuté d'après une œuvre du peintre anglais Tilly Kettle.

96. Anonyme [Non repr.]

Lucknow, 1780-1790
Une danseuse
Gouache sur papier, 21,6 x 14,7
Inscription : *A Dancing Girl*
Londres, British Library, Oriental and India
Office Collections
Inv. Add. Or. 2659

97. Commode

Pondichéry, 1750-1760
Teck, laiton, 93 x 148
Port Louis, musée de la Compagnie des Indes
Inv. 1975-1-46/AF 3296 (dépôt du musée
national des Arts d'Afrique et d'Océanie,
Paris)
Hist. : ancienne collection Gabriel Jouveau-Dubreuil ;
donné en 1931 au musée de la France
d'outre-mer, Paris.

98

98. Miroir à fronton

Pondichéry, premier tiers du XVIIIe siècle
Teck, glace, 129 x 76
Port Louis, musée de la Compagnie des Indes
Inv. 1975-1-59/AF 3298 (dépôt du musée national
des Arts d'Afrique et d'Océanie, Paris)
Hist. : ancienne collection Gabriel Jouveau-Dubreuil ;
donné en 1931 au musée de la France d'outre-mer,
Paris.

Ce miroir aurait appartenu au marquis Joseph François Dupleix.

97

99. CABINET

Inde du Sud (?), milieu du XVIIIᵉ siècle
Bois, métal doré, 180 x 101,5 x 52
Paris, musée des Arts décoratifs
Inv. D 31979
HIST. : ancienne collection Gabriel Jouveau-
Dubreuil.

99

100. ANONYME

Lucknow, vers 1780
Un spectacle pour le colonel Polier
Gouache sur papier, rehauts d'or, 26,6 x 32,5
Genève, collection prince et princesse
Sadruddin Aga Khan
Inv. 280

101. ANONYME

Lucknow, vers 1785
John Wombwell fumant le houka
Gouache sur papier, 28 x 19
Genève, collection prince et princesse
Sadruddin Aga Khan
Inv. 159

101

100

102

102. MANUSCRIT BEAULIEU

Pondichéry et France, vers 1732
Cahier in 8°, 12 pages de texte,
11 échantillons de toile
Inscription : *Manière de fabriquer les toiles peintes
de l'Inde, telle que Monsieur de Beaulieu, capitaine de vaisseau,
l'a fait exécuter devant luy à Pondichéry*
Paris, Museum national d'histoire naturelle,
bibliothèque centrale
Inv. Ms 193-1
HIST. : acquis à la vente de la bibliothèque
scientifique des frères Jussieu en 1858.

Il s'agit de la première description technique
précise d'un procédé de fabrication
d'indienne, relevant le procédé de teinture de
grand teint.
Cette commande passée par René Antoine de
Réaumur à l'île Bourbon (La Réunion) révèle
un double aspect. Ce qui attire le commerce
français aux Indes et ce qui retient l'intérêt des
scientifiques, c'est la variété et la richesse de la
production locale. Jusque vers 1760, la
production des indiennes demeure exotique. Elle
consacre la suprématie de l'Inde dont l'activité
textile apparaît comme la première du monde.

On sait que Beaulieu retourna
à Pondichéry pour percer et
collecter de la même manière
le procédé de la teinture à
l'indigo. Ce manuscrit est
actuellement perdu.
T. N. T.

103. RECUEILS D'ÉCHANTILLONS D'OBERKAMPF [NON REPR.]

Échantillons de toiles
Inscription : *Toiles de l'Inde recueillies sur les lieux par les
agents de Monsieur Oberkampf*
Paris, musée de la Mode et du Textile
Inv. DD 82 (1-2)

Christophe-Philippe Oberkampf (1738-
1815), entrepreneur et teinturier, créa
en 1760 la fabrique de Jouy-en-Josas, dont la
notoriété doit beaucoup à ses productions
d'indiennes. Ses écrits nous apprennent qu'il
attachait une extrême importance au choix
de ses modèles : « [Il faut] dans tous les temps
chercher à se procurer des échantillons des
meilleures manufactures étrangères non pour
les faire exécuter tels qu'ils sont [...] mais les
pousser encore à un plus haut point de
perfection. »
Dans ce contexte, on comprend tout l'intérêt
qu'offraient encore, dans la seconde moitié
du XVIIIᵉ siècle, les modèles indiens, au milieu
d'échantillons en provenance de tous les pays
d'Europe.
T. N. T.

102 (détail)

104

105

104. FRAGMENT DE TOILE

Gujarat, XVIᵉ siècle (?)
Toile de coton, teint et imprimé par réserve au
mordant et à la cire (?) (indigo et garance), 10 x 14
Paris, Association pour l'étude et la documentation
des textiles d'Asie
Inv. 1356, MA 5683
HIST. : fouilles de Fostat, en Égypte.

Les « tissus de Fostat » n'ont pas encore livré
tous leurs secrets. À quels marchés étaient-
ils destinés ?
La qualité ordinaire du tissage de la toile
indique vraisemblablement que ce type
de cotonnade était réservé à un usage
domestique quotidien.
Leur présence sur les bords de la Méditerranée,
en particulier en Égypte, témoigne déjà de
l'intérêt accordé aux productions indiennes dans
l'ensemble du monde islamique, bien qu'il soit
probable que ce commerce florissant soit
antérieur à l'islam.
T. N. T.

105. NAPPERON

Inde du Nord, pour le marché européen,
seconde moitié du XVIIIᵉ siècle
Toile mousseline de coton, broderie de soie *muga*,
100 x 56
Paris, Association pour l'étude et la documentation
des textiles d'Asie
Inv. 3429

106

106. PLATEAU

Deccan, Karimnagar, milieu du XVIIIe siècle
Argent, traces de dorure, 25 x 35,6
Paris, collection Krishna Riboud
HIST. : ancienne collection Le Véel.

L'argent, au même titre que l'or, a toujours été considéré comme symboliquement pur dans la tradition hindoue. Hindous et musulmans furent de grands consommateurs d'argent. Le pays n'a jamais manqué de ce métal, bien que le sous-sol indien en soit quasiment dépourvu. Les produits bruts ou manufacturés s'échangeaient, en effet, en valeurs compensables en or ou en argent.

Le travail de l'orfèvre n'entrait que pour une infime part dans le coût final de l'objet dont la valeur vénale était déterminée en fonction de la quantité de métal utilisée.

Tous les épistoliers s'accordent à dire que les orfèvres musulmans, les plus réputés, comme les orfèvres hindous, étaient passés maîtres dans leur art et capables d'une virtuosité étourdissante avec un matériel rudimentaire.

Ce plateau en filigrane, aux bords polylobés et incurvés, l'atteste pleinement — on pourra rapprocher les souples ondulations animant son fond de celles du carré de soie brodé du [cat. 134].

T. N. T.

107. NAPPERON

Inde du Nord, pour le marché européen, seconde moitié du XVIIIe siècle
Toile mousseline de coton, broderie de soie *muga*, 50 x 103
Paris, Association pour l'étude et la documentation des textiles d'Asie
Inv. 3431

107

108. PLATEAU CIRCULAIRE

Deccan, XVIIIe siècle
Bidri, argent, 33,2 (diam.) x 3,8
Paris, collection Krishna Riboud

Le terme *bidri* est dérivé du nom de la ville de Bidar (Deccan) et désigne à la fois l'objet, sa matière et son ornementation très particulière.
Le Deccan fut l'une des régions les plus cosmopolites et les plus perméables aux influences étrangères, ce qui explique la grande diversité du répertoire formel utilisé. Néanmoins, la technique, profondément originale, est indienne. Elle se caractérise par de riches contrastes de matières opposant les noirs mats et satinés du métal à la brillance des incrustations d'argent, d'or ou de laiton (ce métal allie du zinc, du plomb, du cuivre et de l'étain en proportions variables).
T. N. T.

109. QUATRE POIDS À TAPIS

Bidar, milieu du XVIIIe siècle
Bidri, argent, 12,5 x 11,3 x 11
Paris, collection Krishna Riboud

Ces poids étaient placés aux quatre coins des tapis d'apparat en coton brodé [cat. 121], que l'on utilisait plus volontiers pendant la saison chaude.

108

109

110

111

110. PANNEAU DE DEVANT D'AUTEL

Région de Lisbonne (?), vers 1670
24 azulejos, terre cuite, émail transparent
plombifère, bleu de cobalt, jaune d'antimoine,
oxyde de cuivre, 55,5 x 83,5 (ensemble)
Lisbonne, Museo Nacional de Azulejo
Inv. 133

Il est intéressant de remarquer que le sujet,
le Calvaire, emprunte des motifs à plusieurs
répertoires exotiques : indiens, chinois et
japonais. La lecture est analogique : le palmier
dattier représente le Christ en croix. Les biches
ou gazelles font référence à Marie et à saint
Jean, tandis que le cerf, symbole de l'arbre de
vie par sa ramure qui se renouvelle chaque année,
représente ici le messager divin.
Les deux arbres aux fleurs spectaculaires qui
entouraient la représentation du Christ crucifié
ne sont pas rares dans l'iconographie sacrée.
Il s'agit d'un motif qui se retrouve dans les
peintures à fond d'or de l'école bourguignonne
du XVe siècle et qui symbolise (avec le palmier)
la Trinité.
T. N. T.

111. CARREAU MOGHOL

Inde du Nord, milieu du XVIIe siècle
Terre cuite, 18,8 x 18,4
Paris, collection Krishna Riboud
HIST. : tombe de Madani, près de But Kadal,
Srinagar, au Cachemire.

Ce type de carreau, indifféremment utilisé
en pavage au sol ou en revêtement de mur,
dénote une forte influence safavide dans
la technique *cuerda seca*. Il montre aussi
la diversité des sources d'inspiration, à la fois
indiennes et étrangères, utilisées pendant
la période moghole.
T. N. T.

112. FRAGMENT DE TAPIS

Golconde, 1640-1650
Toile de coton, peint et teint par réserve, 76 x 40,5
Paris, Association pour l'étude et la documentation
des textiles d'Asie
Inv. 3926
HIST. : ancienne collection Nasli Heeramaneck.

Ce fragment, ainsi que le [cat. 125], provient d'une pièce plus importante (tapis d'été), exécutée pour la famille Kachhwaha, au palais d'Amber, vraisemblablement pour Mirza Raja Jai Singh (1621-1667), général de Shâh Jâhân et d'Aurangzeb.
Le dessin des feuilles rappelle celui reproduit sur des carreaux moghols [cat. 111] et témoigne de la véritable diffusion du goût et des modèles de l'Inde du Nord.
T. N. T.

112

113. PALAMPORE

Côte de Coromandel, pour le marché européen,
1790-1820

Toile de coton, peint et teint par réserve, 304 x 216

Paris, Association pour l'étude et la documentation
des textiles d'Asie

Inv. 2034

Dans le décor de ce palampore (couvre-lit),
l'arbre de vie est figuré par un palmier
aux caractères ornementaux typiques de la fin
du XVIIIᵉ siècle. De plus, l'ensemble de la
composition est encadré par une bordure
continue d'oiseaux perchés de chaque côté
d'un ananas contre des guirlandes de fleurs,
dans le goût du style européen de l'époque.
M.-H. G.

114. PALAMPORE

Côte de Coromandel, milieu du XVIIIᵉ siècle

Coton, peint et teint, 276 x 260

Saint-Louis, musée des Arts décoratifs
de l'océan Indien

Inv. 991-741

Cette pièce, aux armes du baron d'Arcis
et de Dieuville, est constituée d'un dessus
de lit et de ses taies d'oreiller assorties.
Ce décor est partiellement influencé par les
motifs de grotesques de Jean Bérain.
Les premières toiles imprimées qui arrivèrent
en Europe portaient des décors typiquement
indiens qui désorientèrent la clientèle
occidentale. Très vite, à la demande des diverses
Compagnies des Indes, les artisans s'ingénièrent
à répondre à des commandes particulières.
Ils s'adaptèrent à ces nouveaux marchés et
produisirent un répertoire stéréotypé où l'arbre
de vie — ou ses variantes — fut l'un des thèmes
les plus répandus [cat. 113].
T. N. T.

114

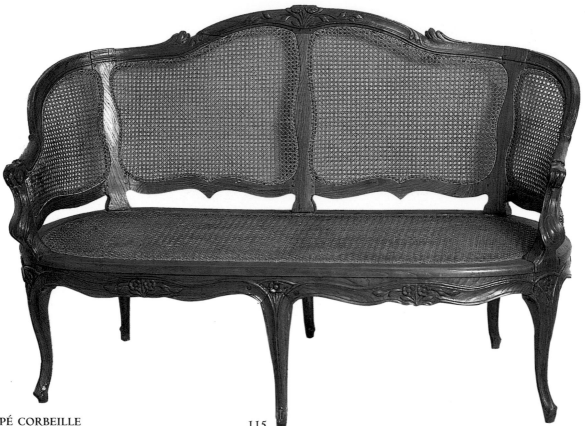

115

115. CANAPÉ CORBEILLE

Pondichéry, vers 1760

Teck, cannage, 99 x 150

Port Louis, musée de la Compagnie des Indes
(dépôt du musée national des Arts d'Afrique
et d'Océanie, Paris)

Inv. 1975.1.22

HIST. : ancienne collection Gabriel Jouveau-Dubreuil ;
donné en 1931 au musée de la France d'outre-mer,
Paris.

Ce canapé, d'une paire, aurait appartenu
au marquis Joseph François Dupleix.
La qualité d'exécution indique une parfaite
connaissance du tracé des lignes courbes et laisse
supposer que ce meuble aurait été copié d'après
un original importé de France et/ou exécuté
sous la direction d'un menuisier français.
Les inventaires de la Compagnie des Indes
attestent que les pièces en bois importées
du royaume ne résistaient pas longtemps
aux rigueurs du climat et aux attaques
des insectes.
T. N. T.

116

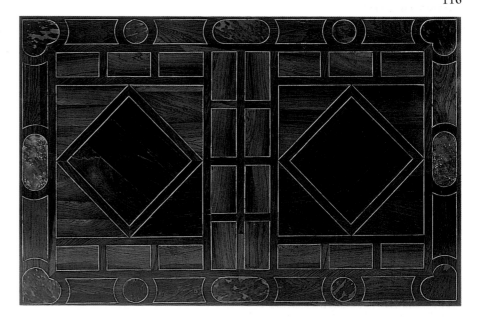

116. TABLE PLIANTE

Côte de Coromandel (?), fin du XVIIᵉ siècle
Palissandre, citronnier, écaille de tortue, fer,
67,7 x 107,5 x 71,3
Saint-Louis, musée des Arts décoratifs
de l'océan Indien
Inv. 996.1019

Cette pièce atteste la circulation de modèles
européens dans la région — le piètement
avec ses tréteaux en bois et ses arcatures en fer
appartient au répertoire hispanique du XVIIᵉ
siècle. Elle atteste également l'intérêt accordé
aux meubles de voyage, faciles à transporter.
T. N. T.

117

118

117. PAIRE DE CHAISES

Île Bourbon, 1790-1810
Petit natte (?), polychromie, dorure,
85,3 x 46,8 x 39,7
Saint-Louis, musée des Arts décoratifs
de l'océan Indien
Inv. 991.779 a-b

Ces chaises, d'une suite de six, témoignent
de la diffusion des modèles anglicisants
dans l'océan Indien occidental à la fin
du XVIII⁰ siècle. Le modèle provient
vraisemblablement de la colonie du cap
de Bonne-Espérance et montre, dans une île
où les bons outils faisaient défaut, l'ingéniosité
et l'habileté des artisans anonymes pour embellir
les lignes menuisées. Mascarons, chutes
et guirlandes ont été interprétés à partir de l'un
des innombrables recueils de modèles
de brodeurs, qui apparaissent fréquemment
dans les inventaires bourbonnais de l'époque.
T. N. T.

119

118. CONSOLE D'APPLIQUE

Cochin, pour le marché portugais, seconde moitié
du XVIII⁰ siècle
Palissandre, 100,6 x 134 x 56,8
Saint-Louis, musée des Arts décoratifs
de l'océan Indien
Inv. 988.370

Autre référence de l'époque — déjà un peu
démodée en Europe —, cette console
baroque confirme le crédit accordé au style
Louis XV dans cette société cosmopolite vivant
en Inde. Les « C » inversés des entretoises
appartiennent au répertoire indo-portugais.
T. N. T.

119. PAIRE DE GUÉRIDONS

Rajasthan, fin du XVI⁰ siècle (fût),
fin du XIX⁰ siècle (plateau)
Marbre (fût), marbre, laiton (plateau [montage
moderne]), 87,8 x 66 (diam.)
Saint-Louis, musée des Arts décoratifs
de l'océan Indien
Inv. 988.242 a-b

120

120. CABINET À PORCELAINES

Pondichéry (côte de Coromandel), 1725-1730
Palissandre violet, laiton, métal doré, 258 x 96 x 46
Saint-Denis de La Réunion, hôtel de la Préfecture

Ce meuble a été exécuté en Inde du Sud
pour Bertrand-François Mahé de La
Bourdonnais (1699-1753), le futur gouverneur
général des îles de France et de Bourbon. Sur le
plan stylistique, il offre au regard une étonnante
synthèse artistique, faite d'emprunts au
répertoire formel anglo-hollandais colonial,
enrichis d'embellissements sculptés puisés dans
les références anglo-françaises.
T. N. T.

122

121. TAPIS D'ÉTÉ

Tanjore (?), pour le marché européen (?),
fin du XVIIIe-début du XIXe siècle
Coton, fils de soie polychrome, 333 x 287
Saint-Louis, musée des Arts décoratifs
de l'océan Indien
Inv. 997.1032

122. QUATRE POIDS À TAPIS

Rajasthan, fin du XVIIIe siècle
Marbre, 20,5 x 13,6 x 13,6 (base)
Inscription sous la base : *Mir-i-farsh* (esclaves de tapis)
Saint-Louis, musée des Arts décoratifs
de l'océan Indien
Inv. 998-1096 1-4

121

123

123. CHAISE

Afrique du Sud, milieu du XVIIIᵉ siècle
Noyer du Cap, tapisserie, 90 x 49 x 43
Saint-Louis, musée des Arts décoratifs
de l'océan Indien
Inv. 998.1092

124. PAIRE DE FAUTEUILS

Côte de Coromandel, pour le marché européen,
fin du XVIIᵉ-début du XVIIIᵉ siècle
Ebène, ivoire, 87 x 48,5 x 55,5
Saint-Louis, musée des Arts décoratifs
de l'océan Indien
Inv. 987.137 a-b

L a composition décorative est centrée sur
des *putti*, figures associées à l'amour divin.

124

125. FRAGMENT DE BORDURE DE TAPIS

Golconde, 1640-1645
Coton, peint et teint, 51 x 81,5
Saint-Louis, musée des Arts décoratifs
de l'océan Indien
Inv. 998.1095
HIST. : ancienne collection Nasli Heeramaneck

C ette pièce a été exécutée pour la famille
Kachhwaha, au palais d'Amber.
Elle appartient au même fragment que la pièce
[cat. 112]. Le traitement de cette bordure,
directement inspiré de l'art du tapis, atteste
les déplacements — volontaires ou non —
des ouvriers des ateliers du Nord de la Perse
et la prééminence de l'art du tapis comme
référence à l'époque.
T. N. T.

125

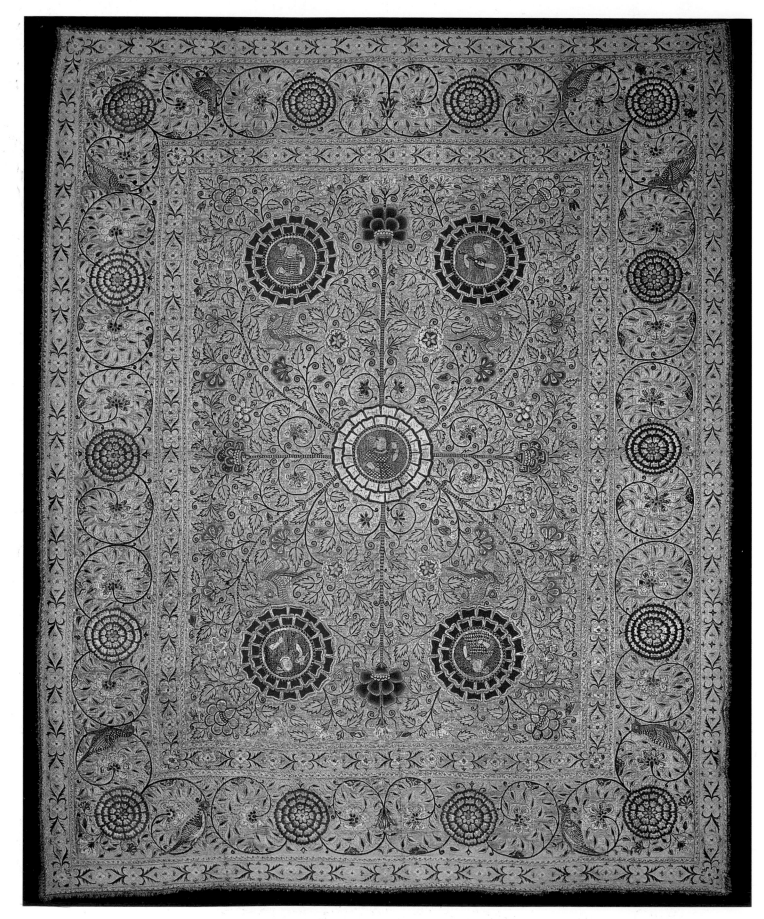

126. TENTURE OU COUVRE-LIT

Gujarat ou Deccan, pour le marché européen,
début du XVIIIᵉ siècle
Satin de soie, broderie de soie et fil métallique,
coton (doublure) 240 x 206
Paris, Association pour l'étude et la documentation
des textiles d'Asie
Inv. 3407

Les provinces du Nord et de l'Ouest de l'Inde étaient reconnues pour la qualité de leurs productions brodées où le répertoire floral est souvent très proche de celui figurant sur les tapis.

Les médaillons de cette pièce, interprétés d'après des gravures européennes, font écho au courant qui privilégia, à la fin du XVIIᵉ siècle et au début du XVIIIᵉ, les représentations allégoriques telles que la série des quatre saisons ou, comme ici, celle des cinq sens.

M.-H. G. et T. N. T.

128

127

127. BONNET DE NUIT

Gujarat, pour le marché britannique, vers 1740
Coton, broderie de soie, revers intérieur en coton
imprimé, doublure en *mashru* (tissu de soie et coton)
20 x 20 (diam.)
Paris, Association pour l'étude et la documentation
des textiles d'Asie
Inv. 3059

La fine broderie de soie au point de chaînette de ce bonnet de nuit s'apparente à la technique de Cambay, dans la région du Gujarat, renommée à l'époque.

M.-H. G.

128. BONNET DE NUIT

Inde, pour le marché hollandais,
milieu du XVIIIᵉ siècle
Coton, peint et teint, 30 x 20 (diam.)
Amsterdam, Rijksmuseum
Inv. BK 1978-792

129

129. SARI BALUCHAR

Bengale (région de Murshidabad),
fin du XVIIIᵉ-début du XIXᵉ siècle
Soie, taffetas broché et lancé, à liage repris
en effet de sergé, 446 (chaîne) x 109 (trame)
Paris, Association pour l'étude
et la documentation des textiles d'Asie
Inv. 3939

La composition du sari baluchar
se distingue par un *pallu*, large bordure
à l'extrémité du champ central, au décor figuratif
répété autour d'un centre orné de *kalka* (palme).
Les deux scènes narratives
sont d'influence européenne. L'une représente
deux personnages assis en train de converser.
L'autre figure une chasse au faucon.
Les vêtements des personnages sont également
empruntés à l'Occident.
M.-H. G.

130. ROBE DE CHAMBRE

Côte de Coromandel, pour le marché européen,
1740-1760
Toile de coton, décor peint, teint et imprimé,
134
La Haye, collection particulière

131. SARI BALUCHAR

Bengale (région de Murshidabad),
fin du XVIIIᵉ-début du XIXᵉ siècle
Soie, taffetas changeant, broché et lancé,
à liage repris en effet de sergé,
470 (chaîne) x 116 (trame)
Paris, Association pour l'étude et la documentation
des textiles d'Asie
Inv. 3845

La scène principale du décor de ce sari
baluchar représente sept personnages
européens installés dans un bateau à vapeur,
apparu à la même époque. L'un d'eux scrute
l'horizon à l'aide d'une longue-vue, d'autres
conversent ou jouent d'un instrument
de musique.
M.-H. G.

130

131

132. TRÔNE

Inde du Nord-Est, Bénarès, vers 1850
Bois, argent, dorure, velours, verre, 63 x 90 x 53
Saint-Louis, musée des Arts décoratifs
de l'océan Indien
Inv. 998.1065

133. TRÔNE

Inde du Nord-Est, Bénarès, vers 1850
Bois, argent, dorure, velours, cornes de gazelles,
verre, 70 x 110 x 70
Saint-Louis, musée des Arts décoratifs
de l'océan Indien
Inv. 998.1066

133

132

134

134. NAPPERON (?)

Indes portugaises, pour le marché européen,
fin du XVIIIe siècle
Soie, fils de soie polychrome, 92 x 90
Saint-Louis, musée des Arts décoratifs
de l'océan Indien
Inv. 997.1002

135. CHÂLE LONG [REPR. P. 90]

Cachemire, 1820-1830
Duvet de chèvre (*pashmina*), tissage espoliné,
304 (chaîne) x 132 (trame)
Collection particulière

136. CHÂLE

Cachemire, vers 1830-1835
Duvet de chèvre (*pashmina*), fond sergé, espoliné,
double crochetage, 302 (chaîne) x 134 (trame)
Paris, Association pour l'étude et la documentation
des textiles d'Asie
Inv. 990

Dans ce châle long, le motif de *boteh*
(palmette) envahit tout le champ central,
attestant son évolution au cours du XIXe siècle.
Ses extrémités sont soulignées par une fine
bordure dans le goût persan et européen.
M.-H. G.

136

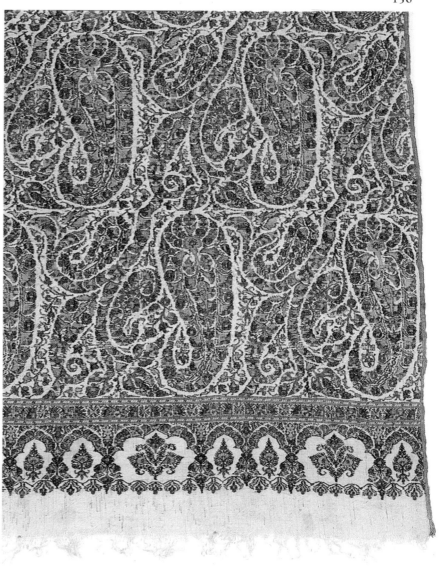

137

137. CRACHOIR

Deccan, pour le marché néerlandais (?),
début du XIXe siècle
Bidri, argent, 18,3 x 12,2 (diam.)
Paris, collection Krishna Riboud

Les crachoirs (*pikdan*) étaient des éléments indispensables dans la pratique de la mastication du bétel ; ils faisaient partie des objets nécessaires à la cour moghole. La forme de celui-ci évoque celle d'un calice.
M.-H. G.

138. COUPE À EAU-DE-VIE

Ceylan, fin du XVIIIe siècle
Argent, dorure, 6,3 x 26,1 x 13,4 (diam.)
Amsterdam, Rijksmuseum
Inv. BK 1994-82

138

139

140

139. Coffre

Palissandre, ébène, laiton, 75 x 152 x 62,5
Saint-Louis, musée des Arts décoratifs
de l'océan Indien
Inv. 992.830

140. Paire d'embrasses

Indonésie, fin du XVIIIᵉ siècle
Argent, 19 x 9 x 9
Amsterdam, Rijksmuseum
Inv. BK 1978.44 a-b

Ces embrasses étaient utilisées pour relever
le voile des moustiquaires entourant les
lits à colonnes. La multitude d'insectes nuisibles
nécessitait de clore le lit la nuit par des
mousselines, souvent de couleur ou surbrodées,
dans les maisons les plus riches.
T. N. T.

141. Mîr Kalân Khân [non repr.]

Faizabad, vers 1750
Un homme sauvé des monstres marins par un vaisseau princier
Au verso, une étude de fleur à la gouache
Gouache sur papier, rehauts d'or, 38 x 27,6
Inscription : au verso, cachet du roi d'Oudh,
A. H. 1263 (1846)
Paris, Fondation Custodia
Inv. 1971-T.76
Hist. : ancienne collection du roi d'Oudh, Wajid' Alî
Shâh (1847-1856) ; exécuté par Mîr Kalân Khân.

142. Anonyme [non repr.]

Murshidabad, vers 1756
Portrait du nabab du Bengale Siraj-ud-Daula avec son frère
Gouache sur papier, rehauts d'or et d'argent,
35,2 x 25
Inscription : *Nabob Serarye Ad Doula Bahadre* (?)
& his Brother Mirza-Mendee
Paris, Fondation Custodia
Inv. 780
Hist. : ancienne collection Alfred Strölin (1871-
1954), Lausanne.

143. ANONYME

Lucknow, vers 1790
Portrait de John Wombwell fumant le houka
Gouache sur papier, rehauts d'or, 32,3 x 28,5
Paris, Fondation Custodia
Inv. 1970-T.36
HIST. : ancienne collection Jean Félix Pozzi
(1884-1967), Constantinople et Paris.

143

Le personnage est identifiable grâce
à d'autres portraits connus, par exemple
celui conservé dans la collection du prince et de
la princesse Sadruddin Aga Khan [cat. 100].
Il est intéressant de remarquer que dans la
seconde moitié du XVIIIᵉ siècle, nombre
d'Européens adoptèrent un mode de vie oriental,
alors qu'à l'inverse les princes et les sultans
aimaient se faire représenter dans un
environnement occidental.

144. ANONYME [NON REPR.]

Mankot, 1700-1710
Karnâtî Râginî : deux musiciennes et une jeune femme avec un
chasse-mouches (chauri)
Gouache sur papier, rehauts d'or et d'argent,
19,8 x 19,5
Inscription : 6 (en tâkrî)
Paris, Fondation Custodia
Inv. 1972-T.48

145. ANONYME

Inde moghole, vers 1660
Portrait de l'empereur Aurangzeb
Gouache sur papier, rehauts d'or, 3 x 2,5
Paris, Fondation Custodia
Inv. 1986-T.53

Le format particulier de ce portrait
d'Aurangzeb indique qu'il était
vraisemblablement destiné à être inséré dans un
ornement de turban ou un pendentif. Ce type de
portrait pouvait servir de cadeau diplomatique.

146. ANONYME [NON REPR.]

Hyderabad, début du XVIIIᵉ siècle
Un nabab du Deccan entre deux serviteurs
Gouache sur papier, rehauts d'or, aile de scarabée,
31,4 x 22,4
Paris, Fondation Custodia
Inv. 1971-T.45

Attribué au « peintre de Jaipur ».

145

147. ANONYME [NON REPR.]

Hyderabad, vers 1750
Vue du jardin d'un palais
Gouache sur papier, 36,4 x 41,1
Paris, Fondation Custodia
Inv. 781
HIST. : ancienne collection Alfred Strölin
(1871-1954), Lausanne.

148. ANONYME [NON REPR.]

Inde moghole, vers 1750
L'Empereur Ahmed Shâh sur un éléphant
Gouache sur papier, rehauts d'or et d'argent,
37,1 x 52,1
Paris, Fondation Custodia
Inv. 1971-T.29

Exécuté par Hûnhar II.

149. ANONYME [NON REPR.]

Portrait de Rana Karan Singh de Mewar
Gouache, rehauts d'or sur papier collé,
13,4 x 7 (15,4 x 9 [avec marges])
Inscriptions : au recto et au verso,
en persan et en hindi
Paris, Fondation Custodia
Inv. 1991-T.22
HIST. : Mughal Royal Library.

150. ÉCOLE DE MEWAR [NON REPR.]

Udaipur, vers 1720
L'Offre d'un faucon à deux Européens (Faranghi)
Gouache et rehauts d'or sur papier, 17,8 x 12,7
Paris, Fondation Custodia
Inv. 1997-T.4
HIST. : collection royale à Mewar.

151. SUKHA, ÉCOLE DE MEWAR [NON REPR.]

Udaipur, 1750
Durbar avec Maharana Jagat Singh II
Gouache, rehauts d'or sur papier collé, 38,8 x 24,7
Inscriptions : en devanagari
Paris, Fondation Custodia
Inv. 1991-T.16
HIST. : collection royale à Mewar.

152

153

152. GARNITURE DE LIT « À LA DUCHESSE »

Beautiran, fin du XVIIIe siècle
Siamoise (coton et lin), indienne, 248 x 180 x 128
Beautiran, collection municipale
Inv. 221
HIST. : ancienne collection Association culturelle
artistique de Beautiran.

153. INDIENNE

Beautiran, fin du XVIIIe siècle
Coton, impression à la planche de bois,
220 (chaîne) x 100 (trame)
Beautiran, collection municipale
Inv. 258
HIST. : ancienne collection Association culturelle
artistique de Beautiran.

154. COUVRE-LIT

Inde du Sud ou côte de Coromandel,
premier quart du XVIIIe siècle
Coton peint, teint et imprimé, 260 x 274
Amsterdam, Rijksmuseum
Inv. BK.1966.20

155. CAPUCHON [NON REPR.]

Beautiran, fin du XVIIIe siècle
Coton imprimé, 193 (chaîne) x 60 (trame)
Beautiran, collection municipale
Inv. 33
HIST. : ancienne collection Association culturelle
artistique de Beautiran.

156. BASSIN DE FONTAINE [NON REPR.]

Bordeaux, manufacture de Hustin, vers 1740
Faïence stannifère ; décor de grand feu en camaïeu
bleu, extérieurement de guirlandes stylisées,
intérieurement d'une touffe de fleurs des Indes,
relevant peut-être de la même origine que le fameux
décor dit « au sainfoin » créé à Rouen à la fabrique
Guillebaud, vers 1728, 42 x 27 x 15
Bordeaux, musée des Arts décoratifs
Inv. 16099

157. PAIRE DE TERRINES OVALES COUVERTES [NON REPR.]

Bordeaux, manufacture de Hustin,
milieu du XVIIIe siècle
Faïence stannifère ; décor polychrome de grand feu ;
jeté de fleurs dominé par une pivoine dans le goût
des Indes, 21 x 26 x 20
Bordeaux, musée des Arts décoratifs
Inv. 3976, 3977
HIST. : musée d'Art ancien, legs Bonie.

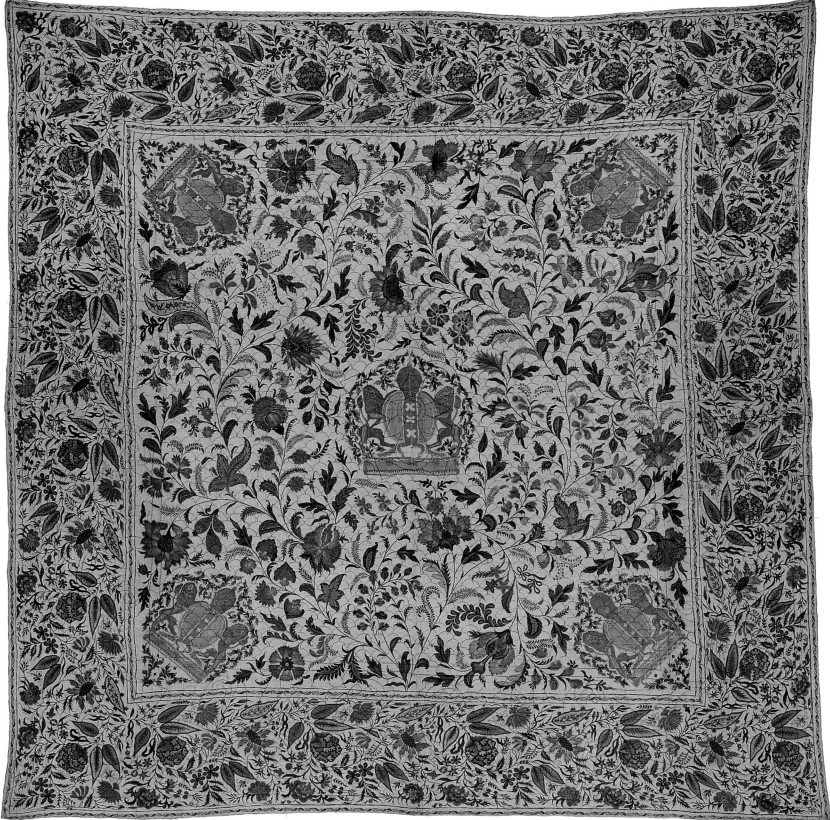

158

158. TERRINE RONDE COUVERTE

> Bordeaux, manufacture de Hustin,
> milieu du XVIIIᵉ siècle
> Faïence stannifère ; décor de grand feu bleu
> et mauve à la fleur des Indes ; feuillage et éléments
> rocaille, 15 x 21
> Bordeaux, musée des Arts décoratifs
> Inv. 3979
> HIST. : musée d'Art ancien, legs Bonie.

Ce modèle de terrine a été créé en Chine pour l'exportation vers 1755 mais adapté au goût bordelais par l'adjonction de mascarons latéraux au modelé un peu mou.
L'interprétation du décor à la fleur des Indes, en l'occurrence la pivoine, est traitée dans une polychromie limitée au mauve et au bleu, encore adoucie par la qualité de l'émail légèrement bleuté.
J. d. P.

159. ASSIETTE [NON REPR.]

> Bordeaux, manufacture de Boyer, fin du XVIIIᵉ-
> début du XIXᵉ siècle
> Faïence stannifère ; décor de grand feu ;
> motif central de pensée, 23 (diam.)
> Bordeaux, musée des Arts décoratifs
> Inv. 2323
> HIST. : musée d'Art ancien, legs Bonie.

Ces motifs floraux, œillet et pensée, pourraient avoir été inspirés par des textiles indiens, de même que la touffe de « fleurs des Indes » figurée au creux du bassin précédemment mentionné. On voit ainsi que les deux styles, chinois et indien, ont une présence égale — et également discrète — sur quelques faïences de grand feu bien typiques du style bordelais. La pivoine chinoise est un des éléments du décor floral encore Louis XV des deux modèles de terrines à mascarons latéraux. L'œillet indien (ou persan) apparaît au fond du bassin

ovale en camaïeu bleu et, quelques années plus tard, se profile au centre des assiettes, épais, charnu et toujours surmonté du petit panache formé par le stigmate, détail qui le rattache plus sûrement encore au modèle botanique de l'œillet indien double. Il rappelle aussi l'élément premier de la fleur (*boteh*) telle qu'on peut le voir sur les textiles indiens dès la fin du XVIIᵉ siècle, d'un naturalisme caractéristique de l'art moghol.
Cet œillet double, affectant l'allure d'un éventail *uchiwa* lorsqu'il est stylisé, restera une des composantes majeures du décor floral indien.
Il est intéressant de rapprocher l'œillet tardif de Bordeaux de celui en camaïeu bleu, qui, vers 1770, est un des décors fréquents de la porcelaine tendre de Chantilly : « [...] La tulipe et l'œillet, importés d'Orient dès le XVIᵉ siècle, suscitèrent, inconsciemment peut-être, un renouveau du goût exotique. » (Geneviève Le Duc, *Porcelaine tendre de Chantilly au XVIIIᵉ siècle*, Paris, 1996.) Remarquons toutefois qu'à l'instar des représentations indiennes, un stigmate surmonte l'œillet bordelais, ce qui n'est pas le cas à Chantilly.
J. d. P.

160

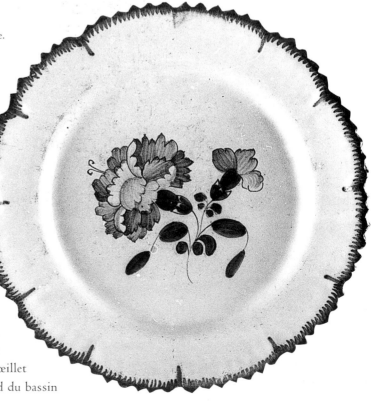

161

160. DEUX ASSIETTES

Bordeaux, manufacture de Boyer,
fin du XVIIIe-début du XIXe siècle
Faïence stannifère ; décor de grand feu ;
œillet central surmonté de deux petites tiges
parallèles recourbées représentant l'extrémité
du pistil, le stigmate, caractéristique de l'œillet
double indien, 24 (diam.)
Bordeaux, musée des Arts décoratifs
Inv. 2300, 2400
HIST. : musée d'Art ancien, legs Bonie.

161. THÉIÈRE

Bordeaux, manufacture des Terres de Bordes
en Paludate, 1787-1790
Porcelaine dure ; décor floral polychrome et or,
16,5 x 22
Marque : *A V* tête-bêche, d'Alluaud et Vanier,
en bleu sous couverte
Bordeaux, musée des Arts décoratifs
Inv. MNCS 24693
HIST. : ancienne collection Jacques Calvet ;
dation en 1978.

« L'imitation des Indes » (appellation
extraite des archives de la manufacture
des Terres de Bordes en Paludate) est sensible
dans la polychromie très douce, différente des
couleurs éclatantes habituellement utilisées dans
le décor de la porcelaine de Bordeaux. On
perçoit aussi, dans la composition du bouquet
central et le traitement un peu gauche des
petites guirlandes, la manière particulière
qu'avaient les Chinois d'interpréter les décors
européens. Le peintre en porcelaine de Bordeaux
a imité ici une porcelaine de Chine faite pour
l'exportation, elle-même décorée selon le goût

européen. Ce jeu de va-et-vient entre l'Europe et
l'Orient rend souvent délicate l'analyse
stylistique, entre goût oriental imité par
l'Occident et goût occidental fabriqué en
Orient. Telle est également la problématique
des textiles venus de l'Inde et imités en Europe,
complexifiée encore par la présence d'artisans
chinois sur la côte de Coromandel.
J. d. P.

162. TINOT

1813
Autoportrait du peintre entouré de sa famille
Huile sur toile, 131 x 112
S. d. b. g. : *Tinot pinxit 1813*
Bordeaux, collection particulière

Le peintre Tinot, dont on connaît très peu
de chose, est officiellement — c'est-à-dire
dans des catalogues d'exposition — signalé
à Bordeaux à partir de 1827 ; peut-être est-il
déjà installé dans cette ville quelques années
auparavant. Ce portrait de famille, qui est aussi
un autoportrait, peut être rapproché d'un autre
autoportrait, en miniature cette fois, daté de

1816 (ancienne collection David-Weill).
Notons la robe de l'épouse de l'artiste, taillée
dans un châle à fond rouge. C'est Joséphine
Bonaparte qui lança cette nouvelle utilisation
des châles. Elle apparaît ainsi vêtue sur un
portrait en pied par Antoine Gros, de 1809
— elle est alors devenue impératrice —, et
mention est faite de cette mode dans différents
souvenirs ou mémoires datant du Consulat :
« Je portais la couleur privilégiée à la
Malmaison, une belle robe de cachemire blanc
avec une garniture légère de palmettes. »
(*Mémoires d'une femme de qualité sur le Consulat
et l'Empire*, Paris, 1987, p. 164.)
Voici, par ailleurs, ce que l'on trouve dans
l'*Indicateur ou journal de commerce, de nouvelles,
de littérature et d'annonces*, périodique bordelais,
à la date du 7 vendémiaire an XIII (fin de
l'année 1804) : « Beaucoup de *shalls* de
mousseline, de cachemire ont été convertis
en robes. Pour donner de la consistance à ces
robes qui sont très molles, on met au bas une
énorme torsade, composée de deux gros
écheveaux de soie ou en laine. »
J. d. P.

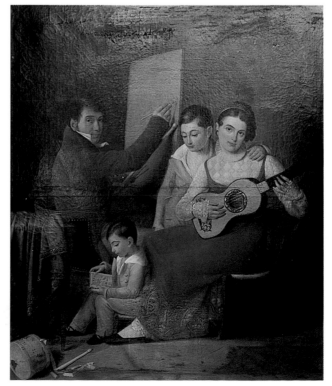

162

163. ANONYME [NON REPR.]

1810-1815
Portrait de Mme Jacques Bailleul avec sa fille Célina
Huile sur toile, 100 x 81
Inscription : sur le châssis, *Mme M. L. (Marie Léonide)*
Poisson
Bordeaux, musée des Arts décoratifs
Inv. 58.1.4371
HIST. : collection Jeanvrot.

Mme Jacques Bailleul, alliée à la famille de Raymond Jeanvrot, était une créole de La Désirade ; c'est vraisemblablement au cours d'un de ses séjours à Bordeaux que ce portrait fut exécuté.
Le magnifique châle jaune semble être un modèle français tissé au lancé, découpé. Micheline Viseux rapproche cette représentation de châle d'un exemplaire conservé au musée de la Mode et du Textile à Paris (inv. UFAC 51.12.29).
J. d. P.

164. ANONYME

1833
Dame assise dans un salon
Huile sur toile, 44 x 36,5
Bordeaux, musée des Arts décoratifs
Inv. 58.1.4175
HIST. : collection Jeanvrot.

L'intérêt de cette peinture un peu maladroite réside dans la précision des détails de la toilette et du décor : châle dont est paré le modèle, vase de Chine d'exportation posé sur le guéridon et garni de fleurs. Cette présence de la porcelaine de la Compagnie des Indes est banale à Bordeaux dans toute demeure bourgeoise un peu élégante.
J. d. P.

164

165. ATTRIBUÉ À AMÉDÉE COUDER

France, vers 1835
Châle carré
Laine, fond vert, décor tissé au lancé découpé, neuf couleurs, 186 x 188
Paris, collection Marie-Noëlle Sudre

Un décor luxuriant et dense de coupoles de style oriental forme un encadrement à la rosace centrale.
M.-N. S.

165

166

167

168

169

166. Basire

1812

Portrait présumé de Mme Basire coiffée d'un mouchoir
à carreaux

Mine de plomb et aquarelle sur papier, 6 x 5

S. d. sous le médaillon collé sur une feuille

de papier : *Basire 1812*

Bordeaux, musée des Arts décoratifs

Inv. 90.2.16

Hist. : don des Amis de l'hôtel de Lalande.

167. Anonyme

1830-1835

Bordelaise coiffée à la créole

Aquarelle et gouache sur ivoire, 6,5 (diam.)

Bordeaux, musée des Arts décoratifs

Inv. 1063

Hist. : don famille Servan au musée des Beaux-Arts

de Bordeaux ; déposé au musée des Arts décoratifs.

168. Tinot

1829

Une grisette bordelaise

Aquarelle et gouache sur ivoire, 11,3 x 9

S. d. b. d. : *Tinot 1829*

Bordeaux, musée des Arts décoratifs

Inv. 58.1.8816

Hist. : collection Jeanvrot.

169. Jean-Baptiste Légé, d'après Gustave de Galard

In *Localité bordelaise*, n° 1, 1829

Grisette

Lithographie aquarellée, 21,2 x 30,7

Se trouve chez Maggi, M^d d'Estampes, allées de Tourny
à Bordeaux

Bordeaux, collection particulière

171

172

170. JEAN-BAPTISTE LÉGÉ, D'APRÈS GUSTAVE DE GALARD

Vers 1830
Adieu ma chère je vais aux Quinconces. Il doit y aller
Lithographie, 27 x 36
Bordeaux, collection particulière

171. JEAN-BAPTISTE LÉGÉ, D'APRÈS GUSTAVE DE GALARD

Vers 1830
Blanchisseuses
Lithographie, 27 x 36
Bordeaux, collection particulière

172. JEAN-BAPTISTE LÉGÉ, D'APRÈS GUSTAVE DE GALARD

Vers 1830
Bientôt, j'en aurai deux
Lithographie, 27 x 36
Bordeaux, collection particulière

173

173. CYPRIEN GAULON, D'APRÈS GUSTAVE DE GALARD

Vers 1830

La Marchande de royans

Lithographie aquarellée, 30 x 41

Daoüs Rouyans, daoüs Royyans tout bioüs

Bordeaux, collection particulière

174. JEAN-BAPTISTE LÉGÉ, D'APRÈS GUSTAVE DE GALARD

1835

Encore une adresse, 27,5 x 37

Surtout n'oubliez pas de dire que je demeure maintenant fossés de l'Intendance nº 13 et que je fais toujours le portrait aussi ressemblant, ni plus ni moins, que Messieurs tels et tels

Bordeaux, collection particulière

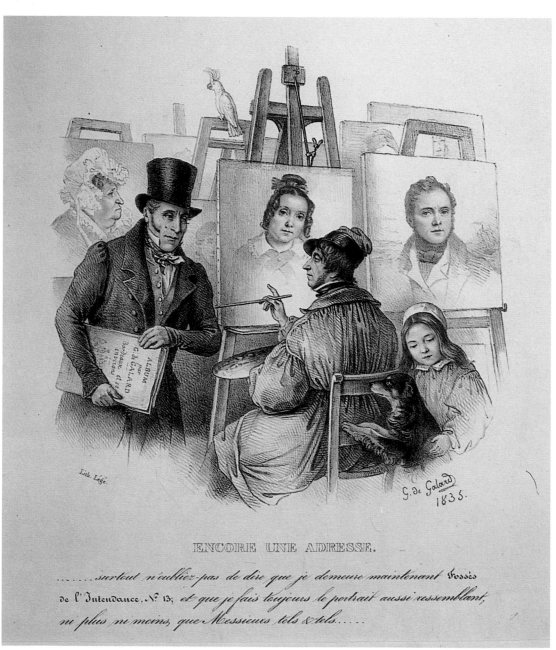

ENCORE UNE ADRESSE.

...... surtout n'oubliez-pas de dire que je demeure maintenant fossés de l'Intendance. Nº 13; et que je fais toujours le portrait aussi ressemblant, ni plus ni moins, que Messieurs tels & tels......

174

176

175. Jean-Baptiste Légé, d'après Gustave de Galard

1829
Déménagement d'un peintre
Lithographie, 25 x 34
Dans la maison faisant le coin de la rue de Condé
et des Quinconces
Bordeaux, collection particulière

176. Assiette à dessert

Bordeaux, manufacture de David Johnston
(1835-1844)
Faïence fine ; bonne d'enfant coiffée d'un madras
promenant une petite fille ; décor imprimé en
camaïeu bistre, d'après une lithographie de Pierre L.
Gorse, collaborateur du peintre Pierre Lacour le fils,
auteur du décor de l'aile de l'assiette, qui fut quelque
temps attaché comme ornemaniste
à la manufacture de David Johnston.
Bordeaux, musée des Arts décoratifs
Inv. 70.1.159
Hist. : don Marcel Doumézy.

175

INDEX TYPOLOGIQUE DES ŒUVRES

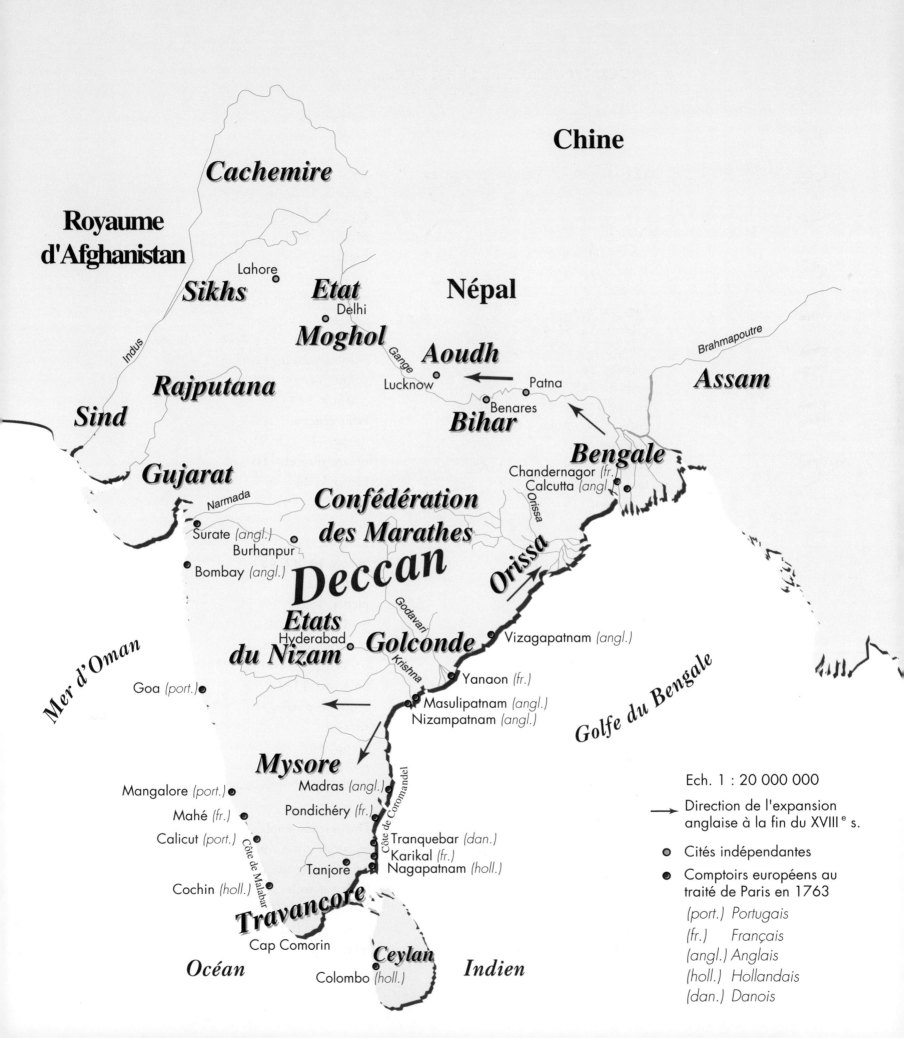

Chine

Cachemire

Royaume
d'Afghanistan

Sikhs

Lahore

Etat

Delhi

Moghol

Népal

Aoudh

Rajputana

Lucknow

Benares

Patna

Assam

Bihar

Sind

Gujarat

Bengale

Chandernagor (fr.)
Calcutta (angl.)

Narmada

Confédération
des Marathes

Surate (angl.)
Burhanpur

Deccan

Orissa

Bombay (angl.)

Etats
du Nizam

Hyderabad

Golconde

Godavari

Vizagapatnam (angl.)

Mer d'Oman

Goa (port.)

Krishna

Yanaon (fr.)

Masulipatnam (angl.)
Nizampatnam (angl.)

Golfe du Bengale

Mysore

Mangalore (port.)

Madras (angl.)

Mahé (fr.)

Pondichéry (fr.)

Calicut (port.)

Tranquebar (dan.)

Karikal (fr.)

Tanjore

Nagapatnam (holl.)

Cochin (holl.)

Travancore

Cap Comorin

Océan

Ceylan

Colombo (holl.)

Indien

Ech. 1 : 20 000 000

→ Direction de l'expansion
anglaise à la fin du XVIIIᵉ s.

◉ Cités indépendantes

◉ Comptoirs européens au
traité de Paris en 1763

(port.) Portugais

(fr.) Français

(angl.) Anglais

(holl.) Hollandais

(dan.) Danois

Les routes maritimes pour l'océan indien du XVIe au XVIIIe siècle

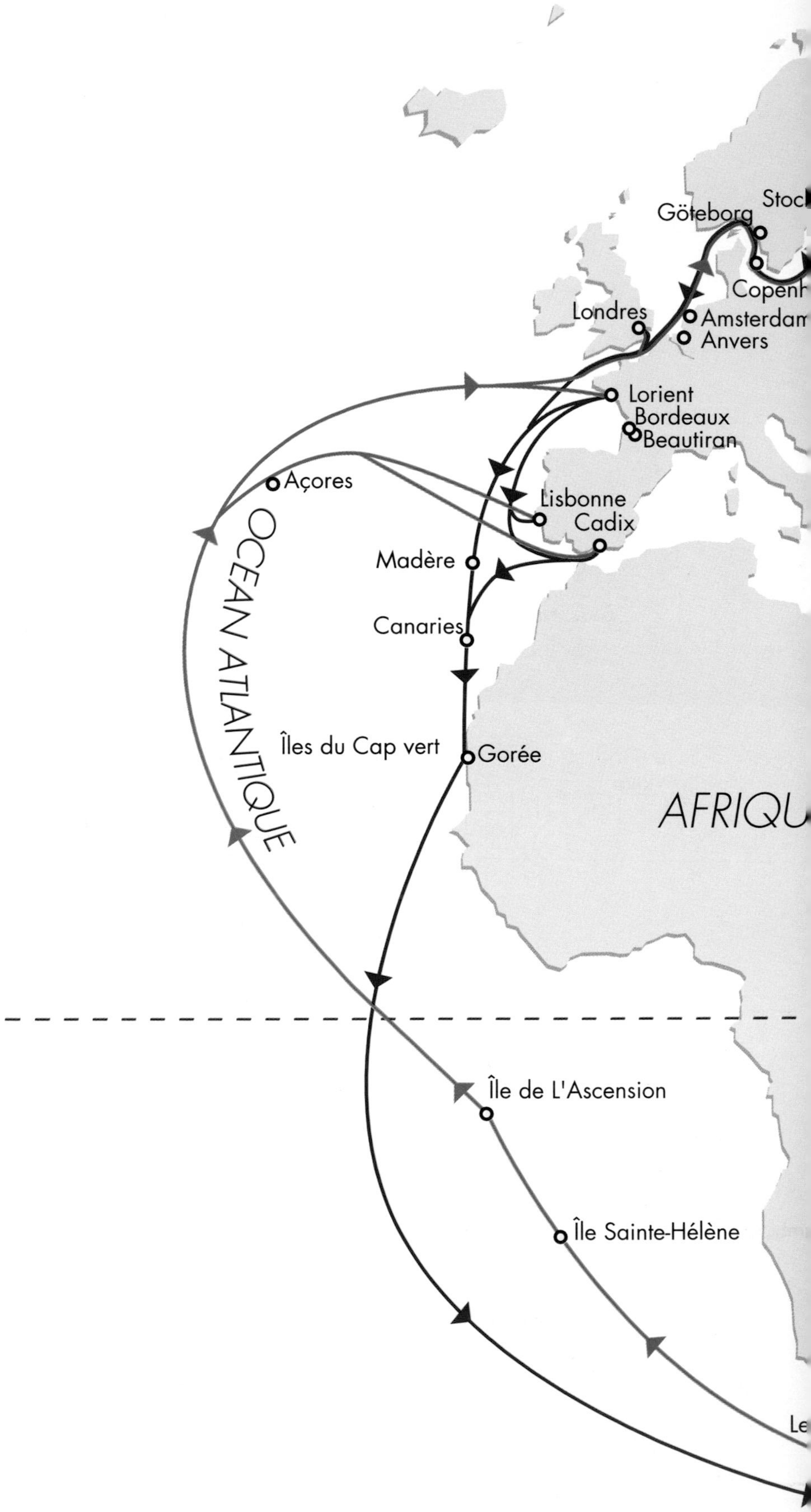

OCÉAN ATLANTIQUE

AFRIQU

Stoc
Göteborg
Copenh
Londres
Amsterdam
Anvers
Lorient
Bordeaux
Beautiran
Açores
Lisbonne
Cadix
Madère
Canaries
Îles du Cap vert
Gorée
Île de L'Ascension
Île Sainte-Hélène
Le

Échelle : 1 : 85.000

Envois

Retours

Routes du commerce maritime en Asie

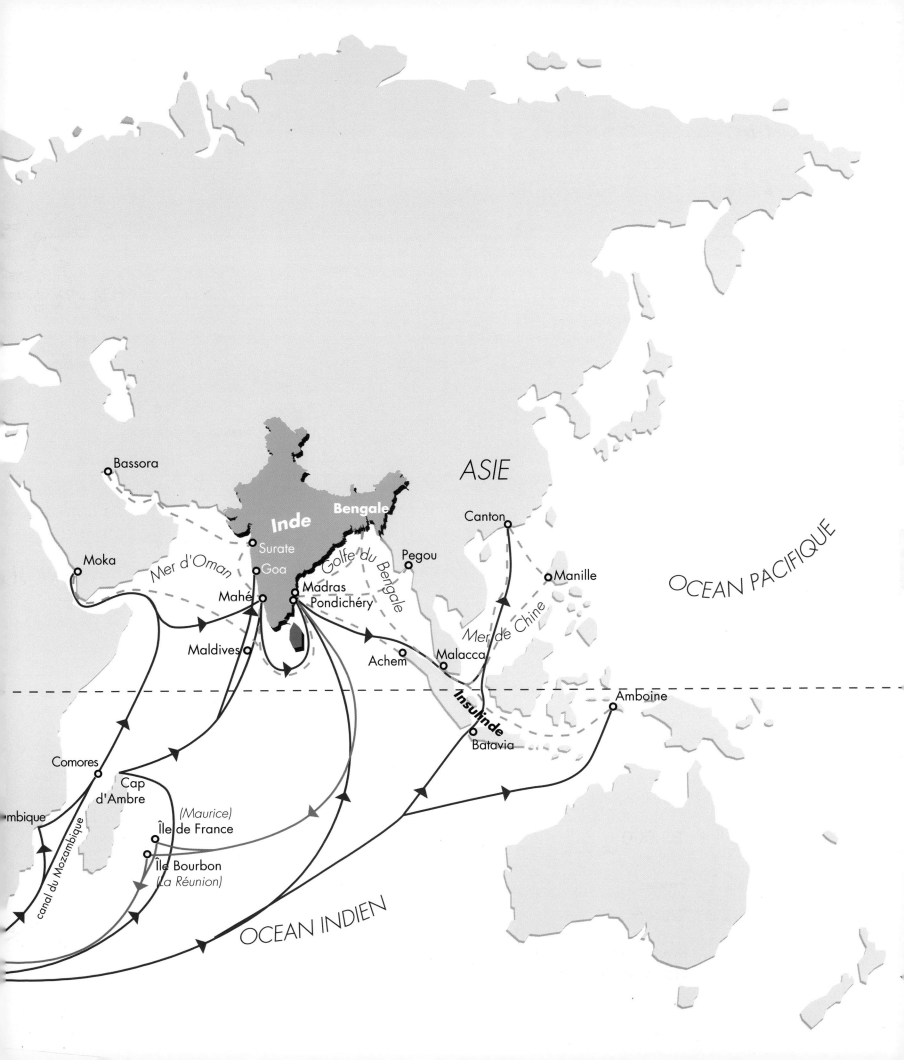

Bassora

ASIE

Inde

Bengale

Moka

Mer d'Oman

Surate

Goa

Golfe du Bengale

Pegou

Canton

Manille

OCEAN PACIFIQUE

Mahé

Madras
Pondichéry

Mer de Chine

Maldives

Achem

Malacca

Insulinde

Amboine

Comores

Batavia

Cap
d'Ambre

(Maurice)

Île de France

Île Bourbon
(La Réunion)

mbique

canal du Mozambique

OCEAN INDIEN

Bibliographie

A

Acerra, Martine et Martinière, Guy *Coligny, les protestants et la mer*, actes du colloque, Paris, université de Paris-Sorbonne, 1997.

Aghion, Irène, Bausillon, Claire et Lissarague, François *Héros et Dieux de l'Antiquité*, Paris, 1994.

Allemagne, Henri-René d' *La Toile imprimée et les indiennes de traite*, Paris, 1942.

Alves, Artur da Motta *O Precioso Arreio, feito em Goa no século XVI, para D. Sebastião*, Lisbonne, 1935.

A. M. C. (sous la direction de M. Wise) *Following the Drum, True Tales of British India*, Brighton, 1993.

Archer, Mildred, Rowell, Christopher et Skelton, Robert *Treasures from India : the Clive Collection at the Powis Castle*, Londres, 1987.

Atmore, M. G. *Cape Furniture*, Le Cap, 1970.

Aubin, J. « Albuquerque et les négociants de Cambay », in *Mare Luso-Indecum*, I, Genève-Paris, 1971.

Axelson, Éric *Portuguese in South-East Africa (1600-1700)*, Johannesburg, 1969.

Id. Portuguese in South-East Africa (1488-1600), Johannesburg, 1973.

An Account of a Voyage to India, China & c. by an Officer of the Caroline, Londres, 1806.

B

Baarsen, Reiner *Nederlandse meubelen (1600-1800)*, Amsterdam, 1993.

Bachelier, Louis *Histoire du commerce de Bordeaux depuis les temps les plus reculés jusqu'à nos jours*, Bordeaux, 1862.

Backer, G. P. *Calico Painting and Printing in the East India, XVII⁰ et XVIII⁰ siècles*, Londres, 1921.

Balfour-Paul, Jenny *Indigo in the Arab World*, Surrey, 1997.

Baltrusaitis, Jurgis *Le Moyen Âge fantastique. Antiquités et exotismes dans l'art gothique*, Paris, 1981.

Id. Réveils et prodiges. Métamorphoses du gothique, Paris, 1988.

Balwin Beer, A. *Trade Goods, Study of Indian Chintz in the Collection of the Cooper Hewitt Museum Decorative Arts and Design*, Washington, 1970.

Baraitser, Michaël et Obholzer, Anton *Town Furniture of the Cape*, Le Cap, 1987.

Barr, P. *Dust in the Balance*, Londres, 1989.

Basteau, Sylvie « Augustin de Bordeaux, artiste et aventurier du XVII⁰ siècle, légendes et réalités », in *Bulletin et mémoires de la Société archéologique de Bordeaux*, LXXV, Bordeaux, 1984.

Bayard, Émile *L'Art de reconnaître les styles coloniaux de la France*, Paris, 1931.

Bellew, Captain *Memoirs of a Griffin*, Londres, 1843.

Bence-Jones, M. *Palaces of the Raj*, Londres, 1973.

Benisti, Mireille *Le Médaillon lotiforme dans la sculpture indienne du III⁰ siècle avant Jésus-Christ au VII⁰ siècle après Jésus-Christ*, Paris, 1952.

Bennassar, Bartolomé et Jacquart, Jean *Le XVI⁰ Siècle*, Paris, 1997.

Berenger, Jean et Meyer, Jean *La France dans le monde au XVIII⁰ siècle*, Paris, 1993.

Béristain, Valérie « Étoffes de l'Inde, les mouchoirs de Madras », in *Nouvelles de l'Inde*, avril-mai 1994.

Id. La Manière de négocier aux Indes (1676-1691) : Georges Roques, la Compagnie des Indes et l'art du commerce, Paris, 1996.

Id. L'Inde impériale des Grands Moghols, Paris, 1997.

Béristain, Valérie, Hartkamp-Jonxis, Ebeltje, Gluckman, C. Dale, Smart, S. Ellen *et alii*, *In Quest of Themes and Skills-Asian Textiles*, Bombay, 1989.

Besson, Maurice *Les Aventuriers français aux Indes (1775-1820)*, Paris, 1932.

Binyon, Laurence *The Spirit of Man in Asian Art*, New York, 1963.

Blayau, Noël et Denis, Michel *Le XVIII⁰ Siècle*, Paris, 1970.

Bosanquet, A. *India Seventy Years ago*, Londres, 1881.

Bouchon, Geneviève « Les rois de Kotte au début du XVI⁰ siècle », in *Mare Luso-Indecum*, I, 1971.

Id. « Les musulmans du Kérala à l'époque de la découverte portugaise », in *ibid.*, II, 1973.

Id. Albuquerque, le lion des mers d'Asie, Paris, 1992.

Id. Vasco de Gama, Paris, 1997.

Bourdon, Alain-Albert *Histoire du Portugal*, Paris, 1994.

Bourdon, L. *Les Débuts de l'évangélisation de Ceylan*, Lisbonne, 1936.

Bourne, J. et Brett, V. *Lighting in the Domestic Interior*, Londres, 1991.

Boxer, Charles *The Portuguese Seaborne Empire, 1415-1825*, Londres, 1969.

Id. The Dutch Seaborne Empire, 1600-1800, Londres, 1977.

Boyé, Jérôme (textes réunis par) *Les Anciens Comptoirs français de l'Inde : Pondichéry, Chandernagor, Karikal, Mahé et Yanaon*, Paris, 1992.

Id. L'Extraordinaire Aventure de Benoît de Boigne aux Indes, Paris, 1996.

Brandão, João *Tratado da magestade, grandeza e abastança da cidade de Lisboa [...]*, Lisbonne, 1923.

Braudel, Fernand *Les Jeux de l'échange*, Paris, 1979.

Id. Les Structures du quotidien : le possible et l'impossible, Paris, 1979.

Id. Le Temps du monde, Paris, 1979.

Id. La Méditerranée et le monde méditerranéen à l'époque de Philippe II, Paris, 1990.

Bredekamp *Machines et Cabinets de curiosité*, Paris, 1996.

Breet, Katharine B. « Indian Painted and Dyed Cottons for the European Market », in *Aspects of Indian Art*, Leyde, 1957.

Id. « The Flowering Tree in Indian Chintz », in *Journal of Indian Textile History*, n° 3, 1957.

Brioist, Pascal *Espaces maritimes au XVIII⁰ siècle*, Paris, 1997.

Brizard, Paul-André *Journal de navigation, départ de l'île de France sur le navire* Le Patriote *le 10 avril 1789*, Bordeaux, musée d'Aquitaine.

Brohier, R.-L. *Furniture of the Dutch Period in Ceylon*, Ceylan, 1969.

Bry, Théodore de *Collectiones Peregrinationum in Indiam Orientalem et Indiam Occidentalem (petits voyages)*, Francfort, 1598.

Burckhardt, Titus *L'Art de l'islam : langage et civilisation*, Paris, 1985.

Burke, Peter *Venise et Amsterdam*, Brionne, 1992.

Busteed, H.-E. *Echoes from Old Calcutta*, Londres, 1908.

Butel, Paul *La Croissance commerciale bordelaise dans la seconde moitié du XVIII⁰ siècle*, I, Lille, 1973.

Id. Histoire du thé, Paris, 1989.

Id. Les Négociants bordelais : l'Europe et les îles au XVIII⁰ siècle, Paris, 1974.

Id. Histoire de la Chambre de commerce et d'industrie de Bordeaux des origines à nos jours (1705-1985), Pessac, 1985.

Id. Les Dynasties bordelaises de Colbert à Chaban, Bordeaux, 1991.

Leroux, Laurent *Bordeaux et l'océan Indien dans la première moitié du XIXᵉ siècle*, Bordeaux, 1992.

Id. Économie française au XVIIIᵉ siècle, Paris, 1993.

Id. Européens et espaces maritimes (vers 1690-1790), Bordeaux, 1997.

Buxton, R. *La Grèce de l'imaginaire : les contextes de la mythologie*, Paris, 1996.

Bordeaux au XVIIIᵉ siècle (sous la direction de F. G. Pariset), Bordeaux, 1968.

C

Cagigal e Silva, Maria Madalena de « As composições maritimas na arte indo-portuguesa », in *Lusíada*, II, n° 7, octobre 1955.

Id. « O lótus na arte indo-portuguesa », in *Lusiada*, III, n° 12, mai 1960.

Id. (sous la direction de João Barreira) « A arte indo-portuguesa », in *Arte portuguesa as artes decorativas*, Lisbonne, 1966.

Id. Obras de arte indo-portugesas de carácter mongólico, Lisbonne, 1972.

Id. « Mobilier indo-portugais » in *Styles, Meubles et Décors*, I, Paris, 1972.

Canby, Sheila R. *Princes, Poets and Paladins : Islamic and Indian Paintings from the Collection of Prince and Princess Sadruddin Agha Khan*, Londres, 1998.

Cardon, Dominique et Chatenet, Gaëtan du *Guide des teintures naturelles. Plantes lichens, champignons, mollusques et insectes*, Paris, 1990.

Carey, W. *Good Old Days of the Honourable John Company*, Argus Press, I, 1888.

Castro, Xavier de *Voyage à Mozambique et Goa : la relation de Jean Mocquet (1607-1610)*, Paris, 1996.

Caunter, Revd. H. *Scenes in India*, Londres, 1861.

Cavignac, Jean « Les Cabarrus, négociants de Bordeaux », in *Revue historique de Bordeaux et du département de la Gironde*, nouvelle série n° 19, 1970.

Cazaux, Yves *Naissance des Pays-Bas*, Paris, 1983.

Cazenave, Michel (sous la direction de) *Encyclopédie des symboles*, 1996.

Challe, Robert *Journal d'un voyage fait aux Indes orientales*, I (février 1690-août 1690), II (août 1690-août 1691), Paris, 1983.

Charpentier, François *Relation de l'établissement de la Compagnie française pour le commerce des Indes orientales*, Saint-André, 1986.

Chassagne, Serge *Le Coton et ses patrons : France, 1760-1840*, Paris, 1991.

Chaunu, Pierre *Conquête et exploitation des nouveaux mondes (XVIᵉ siècle)*, Paris, 1969.

Chaves, L. « O mobiliário », in João Barreira, *As Artes decorativas*, Lisbonne, 1951.

Chevalier, Jean et Gheerbrant, A. *Dictionnaire des symboles*, Paris.

Chiechonowiecki, A. « Furniture of Spain and Portugal », in *World Furniture*, I (1888), Londres, 1965.

Cimino, R. M. « The "Savonarola" Chair in Mughal Miniatures », in *A Mirror of Princes. The Mughal and the India*, 1987.

Clébert, J. P. *Bestiaire fabuleux*, Paris, 1971.

Clemons, M. *The Manners and Customs of Society in India*, Londres, 1841.

Clévenot, D. *Une esthétique du voile : essai sur l'art arabo-islamique*, Paris, 1994.

Clouzot, Henri *Histoire de la manufacture de Jouy et de la toile imprimée*, Paris, 1928.

Codrington, B. K. de « Mughal Marquetery », in *The Burlington Magazine*, n° 335, février 1931.

Id. « Western Influences in India and Ceylon : a Group of Sinhalese Ivories », in *The Burlington Magazine*, novembre 1931.

Id. « The Indian Period of European Furniture », in *The Burlington Magazine*, n° 379, octobre 1934.

Communay, Pierre-Marie Antoine Arnaud *Les Grands Négociants bordelais au XVIIIᵉ siècle*, Bordeaux, 1888.

Coomaraswamy, Ananda *The Arts and Crafts of India and Ceylon*, Édimbourg-Londres, 1913.

Id. Medieval Sinhalese Art, New York, 1956.

Id. The Transformation of Nature in Art : Theories of Art in India, Chinese and European Medieval Art ; Iconography, Ideal Representation, Perspective and Space Relations, New York, 1956.

Id. History of Indian and Indonesian Art, New York, 1985.

Cortesão, J. *L'Expansion des Portugais dans l'histoire de la civilisation*, Lisbonne, 1983.

Cousin, Françoise *Tissus imprimés du Rajasthan*, Paris, 1986.

Coutinho, Bernardeau Xavier *Portugal na história e na arte de Ceilão*, Lisbonne, 1972.

Couto, João « A prataria indo-portuguesa. Elementos decorativos », in *Garcia de Orta*, numéro spécial, 1956.

Id. « Alguns subsídios para o estudo técnico das peças de ourivesaria no estilo denominado indo-português (três peças que pertenceram ao convento do Carmo da Vidigueira) », in *I Congresso da história da expansão portuguesa no mundo*, Lisbonne, 1958.

Couto, João et Gonçalves, António Manuel *A Ourivesaria em Portugal*, Lisbonne, 1960.

Crépin, Pierre *Mahé de La Bourdonnais, gouverneur général de France et de Bourbon*, Paris, 1922.

Crill, Rosemary *Flower Carpets of the Great Mughals* (album n° 5), Londres, 1986.

Cruchet, R. « Le voyage en Chine de Balguerie junior (1783-1785) », in *Revue historique de Bordeaux et du département de la Gironde*, 1952.

Cruz, Antonio « Casa-Museu de Guerra junqueiro », in *Civitas*.

Id. O Porto Seiscentista, Porto, 1948.

Cultru, Prosper *Dupleix : ses plans politiques, sa disgrâce*, Paris, 1901.

Catalogus van Meubelen en Betimmeringen (collectif), Amsterdam, 1952.

Une chambre à Bourbon au XVIIᵉ siècle, Saint-Louis.

D

Daniélou, Alain *Histoire de l'Inde*, Paris, 1983.

Deleury, Guy *L'Inde florissante. Anthologie des voyageurs français (1750-1820)*, Paris, 1991.

Delpierre, M. « Le châle cachemire et la mode française », in *La Mode du châle cachemire en France*, Paris, 1952.

Dermigny, Louis *Affaires et Gens d'affaires. Cargaisons indiennes, Solier et Cᵉ, 1781-1793*, Paris, 1960.

Deschamps, Hubert *Les Européens hors d'Europe de 1434 à 1815*, Paris, 1972.

Desgraves, Louis *Évocation du vieux Bordeaux*, Paris-Bordeaux, 1989.

Id. Voyageurs à Bordeaux du XVIIᵉ siècle à 1914, Bordeaux, 1991.

Id. Bordeaux au XVIIIᵉ siècle (1715-1789), Bordeaux, 1993.

D'Oyly, Charles *Tom Raw, the Griffin*, Londres, 1828.

Id. The Costumes and Customs of Modern India, Londres, s. d.

D'Souza, Florence *Quand la France découvrit l'Inde, les écrivains voyageurs français en Inde (1757-1818)*, Paris, 1995.

Dubois, Jean Antoine *Mœurs, Institutions et Cérémonies des peuples de l'Inde*, Paris, 1985.

Dumas, Louis *Histoire de la pensée, Renaissance et siècle des Lumières*, II, Paris, 1990.

Dwidedi, V. P. *Indian Ivories (a Survey of Indian Ivory and Bone Carvings from the Earliest to the Modern Times)*, Delhi, 1976.

Découvertes européennes et nouvelle vision du monde, 1492-1992 (collectif), Paris, 1994.

Le Delta d'or des plats pays. Vingt siècles de civilisation entre Seine et Rhin (collectif), Anvers, 1996.

Droits d'entrée. Tarif de 1664, Bordeaux.

E

Eden, the Hon. E. *Up the Country* (1866), Londres, 1983.

Edwards, R. et Codrington, B. K. de « The Indian Period of European Furniture », in *The Burlington Magazine*, décembre 1934.

Edwardes, Michaël *The Sahibs and the Lotus*, Londres, 1988.

Elers, G. *Memoirs of George Elers*, Londres, 1903.

Espanca, T. *Inventário artístico de Portugal — distrito de Évora (concelhos de Arraiolos, Estremoz, Montemor-o-Novo, Mora e Vendas Novas)*, Lisbonne, 1975.

Evenson, N. *The Indian Metropolis, a View Towards the West*, New Haven-Londres, 1989.

Everaert, J. et Stols, E. (sous la direction de) *Flandre et Portugal. Au confluent de deux cultures*, Anvers, 1992.

Everett, I. *Observations on India*, Londres, 1853.

Examen des décisions de M. l'abbé Morelet sur les trois questions importantes qui font le sujet de son mémoire, s. l., s. d.

Encyclopédie méthodique. Finances, Bordeaux, 1784.

The European in India, Londres, 1874.

F

Falk, T. « Inlaid and Ebony Furniture from British India », in *Orientations*, mars 1986.

Favier, Jean *De l'or et des épices : naissance de l'homme d'affaires au Moyen Âge*, Paris, 1987.

Id. Les Grandes Découvertes d'Alexandre à Magellan, Paris, 1991.

Fenton, *The Journal of Mrs Fenton 1826-1830*, Londres, 1901.

Ferrão, Bernardo « A arte indo-portuguesa na *Exposição de ambientes portugueses dos sécs. XVI a XIX* realizada no Porto », in *Colóquio*, n° 57, février 1970.

Id. Mobiliário português, Porto, 1990.

Folsach, Kjel von *Islamic Art : the David Collection*, Copenhague, 1990.

Forbes, John *Oriental Memoirs*, I, Londres, 1813.

Frédéric, Louis *L'Art de l'Inde et de l'Asie du Sud-Est*, Paris, 1994.

Freitas, Maria Clara P. G. de *Madeiras da India Portuguesa*, Lisbonne, 1963.

Furber, H. *John Company at Work. A Study of European Expansion in India in the Late Eighteenth Century*, Londres, 1951.

Fort William-India House Correspondence, II (1757-1759), Delhi, 1957.

G

Gaastra, F. S. *De Geschiedenis van de VOC*, Bussum, 1982.

Id. « The Dutch East India Company in National and International Perspective », in *Les Flottes des Compagnies des Indes 1600-1857*, Vincennes, 1996.

Gahlin, S. *The Court of India*, Paris, 1991.

Gans-Ruedin, E. *Le Tapis des Indes*, Fribourg, 1984.

Garnot, Benoît *Société, Cultures et Genres de vie dans la France moderne XVI°-XVIII° siècle*, Paris, 1991.

Geijer, Agnès *Oriental Textiles in Sweden*, Copenhague, 1951.

Gilchrist, J. B. *The General East India Guide and Vade Mecum*, Londres, 1825.

Girardet, Raoul *L'Idée coloniale en France : de 1871 à 1962*, Paris, 1972.

Gittinger, H. *Master Dyers to the World*, Washington, 1982.

Glachant, Roger *Histoire de l'Inde des Français*, Paris, 1965.

Goswami, A. (sous la direction de) *India Terracotta Art*, Calcutta-Bombay, 1959.

Grabar, A. *Les Voies de la création. Iconographie chrétienne*, Paris, 1979.

Grabar, Oleg *La Formation de l'art islamique*, Paris, 1987.

Id. Penser l'art islamique. Une esthétique de l'ornement, Paris, 1996.

Graham, M. *Journal of a Residence in India*, Londres, 1813.

Grant, C. *Anglo-Indian Domestic Life*, Calcutta, 1862.

Graves, Robert *Les Mythes grecs*, Paris, 1967.

Grose, J. H. *Voyages to the East-Indies*, 1772.

Gruber, Alain (sous la direction de) *L'Art décoratif en Europe : classique et baroque*, Paris, 1992.

Id. (sous la direction de) *L'Art décoratif en Europe : Renaissance et maniérisme*, Paris, 1993.

Id. (sous la direction de) *L'Art décoratif en Europe : du néoclassicisme à l'Art déco*, Paris, 1994.

Guimarães, Alfredo *Mobiliário artistico português ; elementos para a sua história-Guimarães*, Vila Nova de Gaia, 1935.

Id. Mobiliário do Paço ducal de Vila Viçosa, Lisbonne, 1949.

Guimarães, Alfredo et Albano, S. *Mobiliário português ; elementos para a sua história-Lamego*, Porto, 1924.

Guy, J. et Swallow, Deborah (sous la direction de) *Arts of India (1550-1900)*, Londres, 1990.

Les Grandes Voies maritimes dans le monde XV°-XIX° siècle (collectif), Paris, 1965.

The Golden Calm, Londres, 1980.

H

Haan, F. de *Oud Batavia*, Bandoeng, 1935.

Hall, James *Dictionnaire des mythes et des symboles*, Paris, 1994.

Hamilton, W. A. *Geographical, Statistical and Historical Description of Hindostan and the Adjacent Countries*, Londres, s. d. (1820).

Hardy, Georges *Histoire sociale de la colonisation française*, Paris, 1953.

Hartkamp-Jonxis, Ebeltje *Sits. Oots-West Relaties and Textiel. Uitgeverij Waanders*, Zwolle, 1987.

Id. (sous la direction de) *Sitsen Indian uit Chintzes, Uitgeverij Waanders*, Zwolle, 1994.

Haudrère, Philippe *La Compagnie française des Indes au XVIII° siècle (1719-1795)*, Paris, 1989.

Id. La Bourdonnais : marin et aventurier, Paris, 1992.

Id. L'Empire des rois (1500-1789), Paris, 1997.

Id. Le Grand Commerce maritime au XVIII° siècle. Les espaces maritimes, Condé-sur-Noireau, 1997.

Hazard, Paul *La Pensée européenne au XVIII* siècle : de Montesquieu à Lessing*, Paris, 1963.

Heber, R. *Narrative of a Journey through the Upper Provinces of India*, I, Londres, 1828.

Id. *The Heber Letters 1783-1832*, Londres, 1950.

Helle, Astrid E. *Histoire du Danemark*, Paris, 1992.

Hickey, W. *Memoirs of William Hickey, 1749-1809*, III, Londres, 1948.

Higounet, Charles (sous la direction de) *Histoire de Bordeaux. Bordeaux de 1453 à 1715*, Bordeaux, 1966.

Id. (sous la direction de) *Histoire de Bordeaux. Bordeaux au XVIII* siècle*, Bordeaux, 1968.

Hodges, W. *Travels in India*, Londres, 1793.

Hodgson, M. G. S. *L'Islam dans l'histoire mondiale*, Arles, 1998.

Huetz de Lemps, Christian *Mémoire du Conseil de commerce de Bordeaux sur le commerce de l'Inde*, Bordeaux, 1784.

Id. *Mémoire à consulter et consultation pour les négociants faisant le commerce des marchandises des Indes ; contre la nouvelle compagnie*, s. l., 1786.

Id. *Géographie du commerce de Bordeaux à la fin du règne de Louis XIV*, Paris, 1975.

Id. *Mémoire du Conseil de commerce de Bordeaux contre le rétablissement du droit exclusif, ci-devant accordé aux villes de L'Orient et Toulon, pour le déchargement des navires revenant de l'Inde*, Bordeaux, s. d.

Huygue, François Bernard et Huygue, Édith *Les Coureurs d'épices*, Paris, 1996.

Hartly House, Calcutta, Calcutta, 1908.

I

Irwin, John « Some New Textile Acquisitions at the Victoria and Albert Museum », in *Art and Letters : the Journal of Royal India, Pakistan and Ceylon Society*, XXIV, 1950.

Id. « Reflections on Indo-Portuguese Art », in *The Burlington Magazine*, décembre 1955.

Id. « Origin of Oriental Chintz Design », in *Antiques*, LXXV, n° 1, 1959.

Id. *Shawls (a Study in Indo-European Influences)*, Londres, 1955.

Irwin, John et Brett, Katharine B. *Origin of Chintz*, Londres, 1970.

Irwin, John et Hall, M. *The Influences of Indian Art* (collectif), Londres, 1925.

Id. *Indian Painted and Printed Fabrics*, Ahmedabad, 1971.

Id. *Indian Embroideries*, Ahmedabad, 1973.

J

Jacob de Cordemoy, Hubert *Les Soies dans l'Extrême-Orient et dans les colonies françaises*, Paris, 1902.

Jacottet, Henry et Leclerc, Max *Album militaire*, s. d.

Jaffer, Amin *Furniture in Early British India* (thèse non publiée), 1750-1830.

Joinville, Pierre de *Le Commerce de Bordeaux au XVIII* siècle*, Paris, 1908.

Jourdain, Margaret « Goan Ebony Furniture », in *The Connoisseur*, XLVII, 1917.

Jourdain, Margaret et Jenyns, S. R. *Chinese Export Art in the Eighteen Century*, Londres, 1950.

Jouveau-Dubreuil, Gabriel *Dupleix ou l'Inde conquise*, Paris, 1942.

Id. « Le commerce des tissus de coton à Pondichéry au XVIII* siècle », in *Revue d'histoire de l'Inde française*, VIII, 1952.

K

Kedleston, Curzon of *British Government in India*, Londres-New York-Toronto-Melbourne, 1925.

Keil, Luis « Influência artistica portuguesa no Oriente. Tres cofres de marfim indianos do séc. XVI », in *Boletim da Academia Nacional de Belas Artes*, n° 3, 1938.

Kindersley, Mrs. J. *Letters from the East Indies*, Londres, 1777.

King, A. *The Bungalow*, Londres, 1984.

Kisluk-Grosheide, D. O. « Tulips in Dutch Seventeenth Century Decorative Arts », in *Antiques*, avril 1991.

Kramrisch, Stella *The Art of India through the Ages*, Londres, 1954.

L

Laffon de Ladebat, J. A. *Mémoire sur la liberté du commerce de l'Inde*, Bordeaux, 1773.

Id. *Mémoire sur l'expédition du vaisseau particulier le Sartine, sur les causes de la ruine de cette expédition, les évènements que cette ruine a entrainés et sur les actions qui en résultent pour le sieur Laffon de Ladébat, écuyer, négociant à Bordeaux, armateur de ce vaisseau*, Paris, 1781.

Id. *Mémoire sur l'expédition du vaisseau particulier le Sartine*, Paris, 1781.

Lane, Frédéric L. « Colbert et le commerce bordelais », in *Revue historique de Bordeaux*, 1920.

Langhans, Almeida F. de *As Corporações de ofícios mecânicos ; subsídios para a sua história*, 1943-1946.

Lapérouse, Jean-François de *Voyage autour du monde sur l'Astrolabe et la Boussole*, Paris, 1997.

Laval, Francisco Pyrard de *Viagem de Francisco Pyrard de Laval [...]*, Porto, s. d.

Lawrence, H. *The Journals of Honoria Lawrence*, Londres, 1980.

Le Blanc, V. *The World Surveyed*, Londres, 1660.

Lebrun, François *Le XVII* Siècle*, Paris, 1967.

Id. *L'Europe et le Monde, XVI*-XVIII* siècle*, Paris, 1987.

Le Gentil, Georges *Histoire tragico-maritime : trois récits portugais du XIII* siècle*, Paris, 1992.

Lévi-Strauss, Monique *Cachemires*, Paris, 1987.

Lewis J. P. « Furniture. Some Old Dutch Colonial Furniture », in *The Connoisseur*, XXXV-XXXVII, octobre 1913.

Liefkes, F. *Vier teakhouten achttiende eeuwse stoelen. Verslagen en aanwinsten van der stichting*, CNO, 1976-1977.

Linschot, Jean-Hugues de, *Histoire de la navigation de Jean-Hughes de Linschot Hollandais et de son voyage en Indes orientales*, Amsterdam, 1610.

Lombard, Denis *Mémoire d'un voyage aux Indes orientales (1619-1622). Augustin de Beaulieu : un marchand normand à Sumatra*, Paris, 1996.

Lombard, Denis et Aubin, Jean (sous la direction de) *Marchands et hommes d'affaires asiatiques dans l'océan Indien et la mer de Chine (XIII*-XX* siècle)*, Paris, 1988.

Lombard, Maurice *Les Textiles dans le monde musulman VII*-XII* siècle*, Paris, 1978.

Long, J. et Stocqueler, J. H. *British Social Life in Ancient Calcutta (1750 to 1850)*, Calcutta, 1983.

Lostly, Jeremiah *Calcutta*, Londres, 1990.

Love, H. D. *Descriptive List of Pictures in Government House and the Banqueting Hall*, Madras, 1904.

Lushington, Mrs. C. *Narrative of a Journey from Calcutta to Europe*, Londres, 1829.

M

MacMillan, M. *Women of the Raj*, New York, 1988.

Malvezin, H. *Histoire du commerce de Bordeaux des origines à nos jours*, Bordeaux, 1892.

Mandrau, *Histoire de la pensée européenne. Des humanistes aux hommes de science XVI* et XVII* siècles*, Paris, 1973.

Mandrou, Robert *La France aux XVII* et XVIII* siècles*, Paris, 1987.

Manucci, Niccóló *Un Vénitien chez les Moghols*, Paris, 1995.

Martins, Oliviera *Histoire du Portugal*, Paris, 1994.

Martineau, Alfred *Dupleix : sa vie et son œuvre*, Paris, 1931.

Méchoulan, Henry *Amsterdam au temps de Spinoza : argent et liberté*, Paris, 1990.

Id. (sous la direction de) *Amsterdam XVIIᵉ siècle : marchands et philosophes, les bénéfices de la tolérance*, Paris, 1993.

Merritt, Jane « Floral Opulence in the Textile Traditions of the Mughal and Ottoman Empires : Textiles from the AEDTA Collection », in *Orientations*, Hong-Kong, 1991.

Meyer, Jean, Tarrade, Jean, Rey-Goldzeiguer, Annie et Thobie, Jacques *Histoire de la France coloniale : des origines à 1914*, Paris, 1991.

Michell, George *Brick Temples of Bengal from the Archives of David McCutchion*, New Jersey, 1983.

Id. (sous la direction de) *The Islamic Heritage of Bengal*, Paris, 1984.

Id. (sous la direction de) *Islamic Heritage of the Deccan*, Bombay, 1986.

Id. The Hindu Temple : an Introduction to its Meaning and Forms, Chicago-Londres, 1988.

Id. (sous la direction de) *Architecture and Art of Southern India. Vijayanagara and the Successors States*, New Jersey, 1995.

Miege, Jean-Louis *Expansion européenne et décolonisation de 1870 à nos jours*, Paris, 1971.

Moeller, Marianne « An Indo-Portuguese Embroidery from Goa », in *Gazette des Beaux-Arts*, XXXIV, août 1948.

Mollat du Jourdain, Michel *L'Europe et la mer*, Paris, 1993.

Morel, Philippe *Les Grotesques. Les figures de l'imaginaire dans la peinture italienne de la fin de la Renaissance*, Paris, 1997.

Morga, A. de *The Philippine Islands at the Close of the Sixteenth Century*, Hakluyt Society.

Mousson-Lestang, Jean-Pierre *Histoire de la Suède*, Paris, 1995.

Mozzani, E. *Le Livre des superstitions. Mythes, croyances et légendes*, Paris, 1995.

Muchembled, Robert *Culture et Société en France du début du XVIᵉ siècle au milieu du XVIIᵉ*, Paris 1995.

Munhall, Ed. *Ingres and the Comtesse d'Haussonville*, New York, 1987.

Munro, I. *A Narrative of the Military Operations on the Coromandel Coast*, Londres, 1789.

Munsterberg, O. « Inventarium ans dem Archivo del Palacio zu Madrid », in *Jahrbuch der kunsthistorischen Sammlungen des allerhächsten Kaiserhauses*, XIV, 1893.

Id. « Bayern und Asien », in *Zeitschrift des Münchener Altertumsverein*, VI, 1894.

Murphy, Veronica « Art and the East India Trade (1500-1857) and some Little-known Ivory Furniture », *The Connoisseur*, décembre 1970.

N

Nascimento, José F. da Silva *Leitos e Camilhas portugueses ; subsídios para o seu estudo*, Lisbonne, 1950.

Nairac, Paul *Discours prononcé à l'Assemblée nationale sur le commerce de l'Inde*, Paris, s. d (1789).

Nije-Statius van Eps, Georgette E. *Furniture from Curaçao, Aruba and Bonaire : three Centuries of Dutch Caribbean Craftsmanship*, Zutphen, 1995.

Nilsson, Sten *European Architecture in India 1750-1850*, Londres, 1968.

O

Okada, Amina et Nou, Jean-Louis *Taj Mahal*, Paris, 1998.

Oliveira, Cristóvão Rodrigues de *Sumário em que brevemente se contêm algumas coisas [...] que há na cidade de Lisboa*, Lisbonne, 1938.

Orta, Garcia de *Colóquios dos simples e drogas e cousas medicinais da India*, Goa, 1563.

Osbek, P. *A Voyage to the East Indies*, Londres, 1772.

Osumi, Tameso *Chintz ancien, les cotonnades imprimées d'Asie*, Paris, 1970.

P

Paine, Sheila *Embroidered Textiles : Traditional Patterns from five Continents with a Worldwide Guide to Identification*, Londres, 1997.

Panckkar, K. M. *Histoire de l'Inde*, Paris, 1958.

Parks, F. *Wanderings of a Pilgrim in Search of the Picturesque*, I, Londres, 1850.

Pearson, J. « On the Origin of Spiral turning in Furniture », in *Apollo*, XXIX, 1939.

Perron, Jean *Demeures mystérieuses du vieux Bordeaux*, Bordeaux, 1981.

Pessoa, F. *Le Portugal dans l'ouverture du monde*, Lisbonne, 1993.

Pfeister, R. *Les Toiles imprimées de Fostat et de l'Hindoustan*, Paris, 1938.

Pieris, Paul E. *Ceylon and Portugal from Original Documents at Lisbon*, Leipzig, 1927.

Pinheiro e Rosa, J. A. *Arte sacra em Tavira*, Tavira, 1966.

Id. « Tesouros sem cortes », in *Folha de Domingo*, juillet 1977 et suiv.

Pinto, Auguste Cardoso *Cadeiras portuguesas*, Lisbonne, 1952.

Pinto, Maria Helena Mendes *As Misericórdias do Algarve*, Lisbonne, 1968.

Id. Grandes museus do mundo — Museu de Arte Antiga — Lisboa, Lisbonne, 1977.

Id. « Móveis », in *Artes decorativas portuguesas no Museu Nacional de Arte Antiga. Séc. XV-XVIII*, Lisbonne, 1979.

Id. Il Congresso internacional de história indo-portuguesa, 1980.

Id. Os Móveis e o seu tempo, Lisbonne, 1985-1987.

Pluchon, Pierre *Histoire de la colonisation française. Le premier empire colonial, des origines à la Restauration*, I, Paris, 1991.

Pluym, Willem van der *Het Nederlandsche Binnenhuis en Zijn Meubels (1450-1650)*, I, Amsterdam, 1942.

Id. Het Nederlandsche Binnenhuis en Zijn Meubels (1650-1750), II, Amsterdam, 1946.

Id. Het Nederlandsche Binnenhuis en Zijn Meubels (1750-1800), III, Amsterdam, 1951.

Id. Vijf Eeuwen Binnenhuis en Meubels in Nederland (1450-1950), Amsterdam, 1954.

Pont-Humbert, C. *Dictionnaire des symboles, des rites et des croyances*, Paris, 1995.

Postans, Mrs. *Western India in 1838*, Londres, 1839.

Poussou, Jean-Pierre *Bordeaux et le Sud-Ouest au XVIIIᵉ siècle : croissance économique et attraction urbaine*, Paris, 1983.

Poussou, Jean-Pierre et Butel, Paul *La Vie quotidienne à Bordeaux et le Sud-Ouest au XVIIIᵉ siècle*, Paris, 1980.

Persian Art, Fundação Calouste Gulbenkian (collectif), Lisbonne, 1985.

Q

Querelles, de *Traité sur les toiles peintes dans lequel on voit la manière dont on les fabrique aux Indes et en Europe*, Paris, 1760.

Quilhó, Irène « Mobiliário », in *Oito séculos de arte portuguesa*, Lisbonne, 1970.

R

Racault, Jean-Michel et Carile, P. (présenté par) *Voyage et Aventures de François Leguat et de ses compagnons en deux îles désertes des Indes orientales (1690-1698)*, Paris, 1995.

Rèche, A. *Naissance et vie des quartiers de Bordeaux. Mille ans de vie quotidienne*, Bordeaux, 1988.

Reis, Mario Beirão *Ourivesaria civil indo-portuguesa*, Lisbonne, 1977.

Rémusat, Mme de *Mémoires*, Paris, 1881.

Rennefort, S. de *Histoire des Indes orientales*, Sainte-Clotilde, 1988.

Ribadieu, Henry *Histoire maritime de Bordeaux, aventures des corsaires et des grands navigateurs bordelais*, Bordeaux, 1854.

Riboud, Krishna (sous la direction de) *Quelques aspects du châle cachemire*, Paris, 1987.

Riboud, Krishna, Okada, Amina et Guelton, Marie-Hélène *Le Motif floral dans les tissus moghols. Inde XVIIe et XVIIIe siècles*, Paris, 1995.

Ripon, *Voyages et Aventures aux grandes Indes. Journal inédit d'un mercenaire 1617-1627*, Paris, 1997.

Roberts, E. *Scenes and Characteristics of Hindostan*, Londres, 1835.

Id. *The East India Voyager, or ten Minutes Advice to the Outward Bound*, Londres, 1839.

Roettgen, Steff *Fresques italiennes de la Renaissance (1470-1510)*, Paris, 1997.

Rybczynksi, W. *Home*, Londres, 1988.

Ryckebusch, Jackie *Bertrand-François Mahé de La Bourdonnais. Entre les Indes et les Mascareignes*, Sainte-Clotilde, 1989.

S

Sandão, Arthur de *O Móvel Pintado em Portugal*, Porto, 1966, 1979.

Sangl, S. « Von der Aneignung des Fremden. Indische Perlmutt-Raritäten und europäischen Adaptionen in München », in *Weltkunst*, novembre 1996.

Santos, Fri João dos *Ethiopia oriental*, Lisbonne, 1891.

Santos, Reynaldo dos « As artes decorativas do séc. XVII e XVIII », in *História da arte em Portugal*, Porto, 1953.

Id. *A India portuguesa e as artes decorativas*, Lisbonne, 1954.

Id. *Ourivesaria portuguesa nas colecções particulares*, Lisbonne, 1954.

Id. « Goa e a arte indo-portuguesa », in *Colóquio*, n° 17, février 1962.

Id. *Oito séculos de arte portuguesa*, Lisbonne, s. d.

Savary des Bruslons, Jacques *Dictionnaire universel de commerce*, 1761.

Saugéra, Éric *Bordeaux négrier XVIIe-XIXe siècle*, Biarritz, 1995.

Schnapper, Antoine *Le Géant, la Licorne, la Tulipe. Collections et collectionneurs dans la France du XVIIe siècle. Histoire et histoire naturelle*, Paris, 1988.

Id. *Curieux du Grand Siècle. Collections et collectionneurs dans la France du XVIIe siècle. Œuvres d'art*, Paris, 1994.

Schurhammer, Georg « Desenhos orientais do tempo de S. Francisco Xavier », in *Garcia de orta*, numéro spécial, 1956.

Schwartz, Pierre « Contribution à l'histoire de l'application du bleu d'indigo dans l'indiennage européen », in *Bulletin de la société indienne de Mulhouse*, n° 2, 1953.

Id. « La fabrication des toiles peintes aux Indes au XVIIIe siècle », in *ibid.*, n° 4, 1957.

Id. *The Roxburgh Account of India Cotton Painting. Journal of Indian Textile History*, n° 3, Ahmedabad, 1957.

Sleeman, W. H. *Rambles and Recollections of an Indian Official*, Londres, 1844.

Slomann, Vilhelm « The Indian Period of European Furniture-I », in *The Burlington Magazine*, septembre 1934.

Id. « The Indian Period of European Furniture-III », in *ibid.*, novembre 1934.

Id. « The Indian Period of European Furniture. A Reply to Criticisms », in *ibid.*, janvier 1935.

Id. « Elfenbeinreliefs auf zwei singhalesischen Schreinen », in *Pantheon*, XX, 1937, XXI, 1938.

Sluyterman, K. *Huisraad en Binnenhuis in Nederland in Vroegere Eeuwen*, Gravenhage, 1947.

Smith, J. *Osler's Crystals*, Londres, 1991.

Smith, Robert C. « Portuguese Furniture of the Seventeenth Century-I », in *The Connoisseur*, avril 1959.

Id. « Portuguese Furniture of the Seventeenth Century-II », in *ibid.*, mai 1959.

Id. « China, Japan and the Anglo-American Chair », in *The Antiques*, octobre 1969.

Sottas, Jules *Histoire de la Compagnie royale des Indes orientales (1664-1719)*, Rennes, 1994.

Spear, P. *The Nabobs*, Calcutta, 1991.

Stevens, Harm *Dutch Enterprise (1602-1799) and the VOC*, Amsterdam, 1998.

Stocqueler, J. H. *The Hand-Book of British India*, Londres, 1854.

Stronge, Suzan *The Jewels of India*, Bombay, 1995.

Symonds, R. W. « Furniture from the Indies », in *The Connoisseur*, mai 1934.

Id. « Cane Chairs of the Late 17th. and Early 18th. Centuries », in *ibid.*

Sorties. Tarif de 1664, Bordeaux.

T

Tarrade, Jean *Le Commerce colonial de la France à la fin de l'Ancien Régime*, Paris, 1973.

Tchakaloff, Thierry Nicolas « Mobilier colonial et mobilier créole comme vision d'un monde élargi », in *Catalogue BEA*, 1985.

Id. « L'apport de l'Inde comme foyer iconographique dans les arts décoratifs réunionnais aux XVIIIe et XIXe siècles », in *Actes du colloque France-Inde*, 1987.

Id. « Collections face à l'histoire, la question de la création pendant l'ère coloniale », in *Actes du colloque. Exposer la mémoire, exposer l'histoire*, 1991.

Id. « Pondichéry : un moment capital dans l'art du meuble », in *Pondichéry 1674-1761. L'échec d'un rêve d'empire*, Paris, 1993.

Id. (sous la direction de) *Indiennes et palampores à l'île Bourbon au XVIIe siècle*, Saint-Louis, 1994.

Id. « L'évolution du goût à Bourbon au XVIIIe siècle entre l'ère du café et celle de la canne à sucre », in *Actes du colloque Révolution française et océan Indien. Prémices, paroxismes, héritages et déviances*, Saint-Denis-Paris, 1996.

Id. « De l'influence de quelques facteurs historiques et géographiques sur le développement de la culture matérielle à Bourbon au XVIIIe siècle et leurs conséquences au XIXe siècle », in *Tropiques métis, mémoires et cultures de Guadeloupe, Guyane, Martinique, Réunion*, octobre 1998.

Terwen-De Loos, J. *Het Nederlands Koloniale Meubel*, Franeker, 1985.

Teyssier, Paul (traduit et présenté par) *Vasco de Gama. La relation du premier voyage (1497-1499)*, Paris, 1998.

Teyssier, Paul et Valentin, P. (traduit et annoté par) *Voyages de Vasco de Gama : relation des expéditions de 1497-1499 et 1502-1503*, Paris, 1995.

Thibaud, R. J. *Dictionnaire de mythologie et de symbolique grecque*, Paris, 1996.

Id. *Dictionnaire de mythologie et de symbolique romaine*, Paris, 1998.

Thobie, Jacques, Meynier, Gilbert, Coquery-Vidrovitch, Catherine et Ageron, Charles Robert *Histoire de la France coloniale (1914-1990)*, Paris, 1990.

Thornton, Peter « Furniture from the Netherlands at Ham House », in *Kunsthistorisch Jaarboek*, 1980.

Tindall, G. *City of Gold*, Londres, 1982.

Toussaint, Auguste *Histoire de l'océan Indien*, Paris, 1961.

Id. *La Route des îles : contribution à l'histoire maritime des Mascareignes*, XXII, Paris, 1967.

Id. *Histoire des îles Mascareignes*, Paris, 1972.

Id. *L'Océan Indien au XVIIIe siècle*, Paris, 1974.

Id. *Le Mirage des îles : le négoce français aux Mascareignes au XVIIIe siècle*, Aix-en-Provence, 1977.

Trevelyan, George *Cawnpore*, Londres, 1865.

Travels in India in the Seventeenth Century, Londres, 1873.

Travels in India a Hundred Years Ago, Londres, 1893.

The Unappreciated Dhurrie, Londres, 1982.

U

Untracht, Oppi *Traditional Jewelry of India*, New York, 1997.

V

Valentia, V. G. *Voyages and Travels to India, Ceylon, the Red Sea, Abyssinia and Egypt in the years 1802-1806*, 1811.

Vasconcelos, Joaquim de *Arte religiosa em Portugal*, Porto, 1914-1915.

Veenendaal, Jan *Her derde merk op VOC-zilver*, 1982-1983.

Id. *Furniture from Indonesia, Sri Lanka and India During the Dutch Period*, Delft, 1985.

Id. « Een zilnveren sirihbladhouder », in *Bulletin van het Rijksmuseum*, 1987.

Verlet, Pierre « Le mobilier colonial français du XVIIIe siècle », in *Bulletin de la Société des amis des musées de Dijon*, 1973-1975.

Viseux, Micheline *Le Coton, l'impression*, Thonon-les-Bains, 1991.

Visser, H. « Jan Brandes de Lutherse Predikant-tekenaar », in *Bulletin van het Rijksmuseum*, 1986.

Vloodt, R. van der « The Mysterious Origins of the Burgomaster Chair », in *Antiques Collector*, novembre 1982.

Vogelsang, W. *Holländische Möbel und Raumkunst*, Gravenhage, 1922.

Voogol, Christophe de *Histoire des Pays-Bas*, Paris, 1992.

Voskuil-Groenewegen, S. M. *Zilver uit de Periode van de Verenigde Oostindische Compagnie 17de en 18de eeuw ; VOC-Zilver*, La Haye, 1983.

A Visit to Madras being a Sketch of the Local Characteristic Peculiarities of that Presidency in the Year 1811, Londres, 1821.

W

Wall, V. I. (van de) *Het Hollandsche Koloniale Barokmeubel : Bijdrage Tot de Kennis van Het Ebbenhouten Meubel Omstreeks Het Midden der XVII en Het Begin der XVIII Eeuw*, Gravenhage, 1939.

Id. « Indische meubels uit den Compagnies Tijd », in *Nederlandsch Indië oud & nieuw*, s. d.

Weber, H. *La Compagnie française des Indes (1604-1785)*, Paris, 1904.

Weinberger-Thomas, C. (textes réunis par) *L'Inde et l'imaginaire*, Paris, 1988.

Welch, Stuart Cary *India Art and Culture (1300-1900)*, New York, 1985.

Wells-Coles, A. *Art and Decoration in Elizabethan and Jacobean England*, New Haven-Londres, 1997.

Williamson, T. *The East India Vade-Mecum*, Londres, 1810.

Y

Yule, H. et Burnell, A. C. *Hobson-Jobson*, Delhi, 1989.

« A Young Civilian in Bengal in 1805 », in *Bengal Past and Present*, XXIV, janvier-juin 1925.

Z

Zebrowski, Mark *Deccani Painting*, New Delhi, 1983.

Id. *Gold, Silver and Bronze from Mughal India*, Londres, 1997.

Zimmer, Heinrich *Myths and Symbols in Indian Art and Civilization*, New York, 1946.

CATALOGUES

Wonen in de Wijde Wereld, Amsterdam, 1694.

Catálogo illustrado da exposição retrospectiva de arte ornamental portuguesa e hespanhola, Lisbonne, 1882.

Exposição retrospectiva de arte ornemental, Lisbonne, 1882.

Exposição distrital de Aveiro, Aveiro, 1883.

Mobiliário indo-português, Lisbonne, 1938.

Catálogo das pinturas antigas […] que fizeram parte da famosa colecção José Gaspar da Graça, para vender em Ieilão no dia 16 de novembro de 1946 […] sob a direcção de Leiria e Nascimento, Lisbonne, 1946.

Influências do Oriente na arte portuguesa continental. A arte nas províncias portuguesas do Ultramar. III Colóquio internacional de estudos luso-brasileiros, Lisbonne, 1957.

Exposição de arte portuguesa e ultramarina. V Colóquio internacional de estudos luso-brasileiros, Coimbra, 1963.

Exposición de anticuarios de España, Madrid, 1966.

Exposição de ourivesaria portuguesa, 1967.

Exposição de ambientes portugueses dos sécs. XVI a XIX, Porto, 1969.

Museu do Caramulo, Fundação Abel de Lacerda (relação de obras de arte), 1973.

L'Islam dans les collections nationales, Paris, 1977.

Colchas bordadas do Museu Nacional de Arte Antiga, India, Portugal, China-séculos XVI-XVIII, Lisbonne, 1978.

Artes decorativas portuguesas no Museu Nacional de Arte Antiga-séc. XV-XVIII, Lisbonne, 1979.

Portugal and the East through Embroidery, Lisbonne, 1981.

Visages du pays de l'Aruan, Beautiran, 1982.

In the Image of Man : the Indian Perception of the Universe through 2000 Years of Painting and Sculpture, Londres, 1982.

The Indian Heritage : Court Life and Art under Mughal Rule, Londres, 1982.

Toiles imprimées, XVIIIe-XIXe siècle, Paris, 1982.

XVIIe Exposition d'art, sciences et culture. Les découvertes portugaises et l'Europe de la Renaissance (l'art et les missions [chrétiennes ou religieuses ou l'évangélisation] sur la route de l'Orient), Lisbonne, 1983.

Silk Roads-China Ships, Toronto, 1983.

Ourivesaria portuguesa no Museu de Arte Antiga, Lisbonne, 1984.

Facets of Indian Art. A Symposium built at the Victoria and Albert Museum, Londres, 1986.

À la cour du Grand Moghol, Paris, 1986.

L'Inde des légendes et des réalités. Miniatures indiennes et persanes, Paris, 1986.

Sublime indigo, Marseille, 1987.

India Brocades from the Collection of the Calico Museum of Textiles, Ahmedabad, 1988.

Courts and Colonies : the William and Mary Style in Holland, England and America, Pittsburg-New York, 1988.

Indiennes et Toiles imprimées de Beautiran et de France aux XVIIIe et XIXe siècles, Beautiran, 1989.

La Manufacture des Terres de Bordes en Paludate, Bordeaux, 1989.

Le Port des Lumières. Le décor de la vie, Bordeaux 1781-1790, Bordeaux, 1989.

Miniatures de l'Inde impériale : les peintures de la cour d'Akbar (1556-1605), Paris, 1989.

Tapis : présent de l'Orient à l'Occident, Paris, 1989.

Arabesques et Jardins de paradis : collections françaises d'art islamique, Paris, 1990.

Portuguese Expansion Overseas and the Art of Ivory, Lisbonne, 1991.

Les Indiennes du Val de Loire : Angers, Bourges, Orléans. Toiles imprimées du XVIIIe siècle, Bourges-Angers, 1991-1992.

De Goa a Lisboa, Lisbonne, 1992.

No tempo das feitorias. A arte portuguesa na epoca dos descobrimentos, Lisbonne, 1992.

Indes merveilleuses, l'ouverture du monde au XVIe siècle, Paris, 1993.

La France et la Suède au XVIIIe siècle, Paris, 1994.

L'Âge d'or du petit portrait, Bordeaux-Genève-Paris, 1995.

La Gravure française à la Renaissance, Paris, 1995.

L'Héritage du Rauluchantin, Lisbonne, 1995-1996.

Tous les savoirs du monde, Paris, 1996.

Orfèvrerie et Objets précieux de l'Inde vers le Portugal, Funchal-Madère, 1996-1997.

Cultures of the Indian Ocean, Lisbonne, 1998.

Vasco de Gama et l'Inde, Paris-Lisbonne, 1998.

CRÉDIT PHOTOGRAPHIQUE

Les numéros renvoient aux pages. Les mentions h, b, m, correspondent à haut, bas, milieu.

Beeldrecht Amstelven/Haags Gemeentemuseum, La Haye 62, 11bd, 119bd

APPA, Bordeaux 157b, 159bd, 160, 161g, 161d, 162g, 162d, 163g

Arnaudet/Réunion des musées nationaux, Paris 33

Arquivo Nacional de Fotografia, Instituto Português de museus, Lisbonne 93m, 97d, 97b, 98b, 107bg

Association pour l'étude et la documentation des textiles d'Asie 109g, 124h, 144, 145g, 146, 149g

Chester Beatty Library, Dublin 35

Isabelle Bedat, Toulouse/musée des Arts décoratifs de l'océan Indien 149g

Cintra et Castro Caldas, Lisbonne 42, 43h, 43m, 43b, 44, 45g, 46, 47, 49, 50, 51, 52-53, 54, 93b

Fundaçao Ricardo do Espirito Santo Silva, Lisbonne 127

Claude Germain, Antibes/musée des Arts décoratifs de l'océan Indien 123h, 123b, 124b

Cora Ginsburg, New York 65, 110b

Béatrice Hatala, Paris/musée des Arts décoratifs de l'océan Indien 148h, 148b

Oliver Impey, Oxford 68, 70, 72

Institut de France, musée Jacquemart-André, Paris 96, 101

Institut néerlandais/Fondation Custodia, Paris 152, 153h, 153b

Jacques Kuyten/musée des Arts décoratifs de l'océan Indien 57, 64, 99h, 99bg, 99bd, 100h, 102h, 108h, 108m, 122, 123h, 123b, 142g, 143m, 151h

Rosie Llewellyn-Jones, Londres 71

Josseline Minet, Paris/musée des Arts décoratifs de l'océan Indien 15, 113g

Musée, Beautiran 87, 154h, 154b

Musée d'Aquitaine, Bordeaux 16, 18, 19, 22h, 22b, 23, 24, 25

Musée de l'Armée, Paris 103g

Musée de la Compagnie des Indes, Port-Louis 110, 120h, 128, 129h, 129b

Musée des Arts décoratifs, Bordeaux 80, 82, 86, 90b, 156h, 156b, 157h, 158h, 159hg, 159hd, 159m, 163d, 163g

Musée historique des Tissus, Lyon 105h, 105b

Musée national des Douanes, Bordeaux 20, 21

Museum of Fine Arts, Springfield 75

Nationalmuseet, Copenhague 11, 107h

Nationalmuseum, Stockholm 108b, 109d

Thierry Ollivier/Réunion des musées nationaux, Paris 12, 97g

Ravaux/Réunion des musées nationaux, Paris 28, 29d, 31

Rijksmuseum-Stiching, Amsterdam 56, 59b, 60h, 63h, 63b, 66b, 67, 113bd, 114, 118, 119hg, 145d, 150d, 151bd, 155

Rijksmuseum voor Volkenkunde, Leyde 111hg

Thibaud de Saint-Chamand, Paris 89

Santa Casa da Misericordia de Lisboa, Museu de San Roque, Lisbonne 98h

Skoklosters Slott 93h

Laurent Sully-Jaulmes/Conseil général des Alpes maritimes 103d

Alan Tabor, Spink, Londres 104, 106g, 106d, 107bd, 142hd, 142bd, 143b

The Houghton Library, Haward University, Cambridge 29g

The Victoria and Albert Museum, V & A Picture Library, Londres 26, 30, 34, 35d, 78h

Union centrale des arts décoratifs, Paris 78b, 120b, 121, 126

Jan Veenendaal, La Haye 59h, 111bg, 113h, 115h, 115b, 116h, 116m, 116b, 117

Yale Center for British Art, New Haven 73h, 73b

D. R. pour les clichés restants

Flashage : GPI, Juigné-sur-Sarthe
et OK par K, Paris

Photogravure : Fotolitostar,
Grassobbio, Italie

Achevé d'imprimer en décembre 1998
sur les presses de Grafedit,
Azzano San Paolo, Italie